LA NAVE DE LOS LOCOS

CRISTINA PERI ROSSI

LA NAVE DE LOS LOCOS

Seix Barral Biblioteca Breve

Primera edición: octubre 1984

Córcega, 270 - 08008 Barcelona

ISBN: 84-322-0508-7

Depósito legal: B. 33.829 - 1984

Impreso en España

Romanyà / Valls
Verdaguer, 1, Capellades (Barcelona)

La vida es un viaje experimental hecho involuntariamente.

FERNANDO PESSOA

El matrimonio de la razón y la pesadilla que dominó el siglo XX ha engendrado un mundo cada vez más ambiguo.

J. G. BALLARD

Nada nos destruye más certeramente que el silencio de otro ser humano.

GEORGE STEINER

EQUIS: EL VIAJE, I

En el sueño, recibía una orden. «La ciudad a la que llegues, descríbela.» Obediente, pregunté: «¿Cómo debo distinguir lo significante de lo insignificante?»

Luego, me encontraba en un campo, separando el grano de la paja. Bajo el cielo gris y las nubes lilas, la operación era sencilla aunque trabajosa. El tiempo no existía: era una continuidad de piedra. Trabajaba en silencio, hasta que ella apareció. Inclinada sobre el campo, tuvo piedad de una hierba y yo, por complacerla, la mezclé con el grano. Luego, hizo lo mismo con una piedra. Más tarde, suplicó por un ratón. Cuando se fue, quedé confuso. La paja me parecía más bella y los granos, torvos. La duda me ganó.

Desistí de mi trabajo. Desde entonces, la paja y el grano están mezclados. Bajo el cielo gris el horizonte es una mancha, y la voz ya no responde.

EQUIS: EL VIAJE, II

> *«Y no angustiarás al extranjero: pues vosotros sabéis cómo se halla el alma del extranjero, ya que extranjeros fuisteis en la tierra de Egipto.»*
>
> (La Biblia, *Éxodo* 23, 9)

Extranjero. Ex. Extrañamiento. Fuera de las entrañas de la tierra. Desentrañado: vuelto a parir. No angustiarás al extranjero. Pues. Vosotros. Vosotros. Vosotros. Los que no lo sois. Sabéis. Vosotros sabéis. Nosotros empezamos a saber. Cómo se halla. Cómo. El alma del extranjero. Del extraño. Del introducido. Del intruso. Del huido. Del vagabundo. Del errante. ¿Alguien lo sabía? ¿Alguien, acaso, sabía cómo se encontraba el alma del extranjero? ¿El alma del extranjero estaba dolorida? ¿Estaba resentida? ¿Tenía alma el extranjero? *Ya que extranjeros fuisteis en la tierra de Egipto.*

La sirena del barco había comenzado a aullar exactamente en el verso número dieciocho del canto VI de La Ilíada. «*¡Magnánimo Tídida! ¿Por qué me preguntas sobre el abolengo?*» Era Glauco a punto de enfrentarse con Diomedes. Sirenas: doncellas fabulosas que moraban en una isla, entre la de Circe y el escollo de Escila, y que con su dulce voz encantaban a los navegantes. Lo recordó porque era el quinto día de navegación y la segunda escala; la Bella Pasajera se acercó hasta él, ya con el ronroneo de la gata blanca cansada de mar, y por decir algo, le preguntó:

—¿Qué está leyendo?

Existían otras traducciones, informó, solícito. En las

otras, Glauco decía: «*¿Por qué me interrogas sobre mis antepasados?*» Y las sirenas, no eran las mismas, tampoco. Salvatore Quasimodo había iniciado una nueva traducción de los primeros cantos de La Ilíada: no terminó la obra, pero allí estaban, cuatro bellos cantos. ¿Dónde eran que estaban? Ah, sí, en la bodega del barco, empaquetados, varios cientos de millas de mar en alguna dirección, este u oeste, norte o sur. Nunca fue ducho en geografía ni en océanos.

—*¿De veras es la primera vez que viaja?* —le había preguntado la Bella Pasajera, al quinto día de navegación. Ojos verdes y ancho mar. Caderas semovientes, amplios costillares. El mar se bamboleaba, como el agua de un vaso. O era el barco. El barco era el vaso moviéndose en altamar. O baja. ¿Quién lo sabía?

—De veras —contestó él—: Es la primera vez que viajo. Ahora tendría que ponerse a dar explicaciones.

—En cambio —le dijo, tratando de salvarse de algo: del pasado, del futuro, de otras preguntas, de la incertidumbre— he leído todos los viajes posibles en los libros.

Ella guardó silencio, pero lo miró con curiosidad. Con una curiosidad tan atenta, tan incitante, que él se sintió inquieto.

—Hasta podría decirle —agregó con una petulancia que sólo la timidez podía justificar— que este viaje ya lo leí más de cinco veces.

El viaje leído: los pasillos estrechos del barco, pintados de ocre, tan semejantes a las galerías de los hospitales; el olor a mar; las cabinas de pasajeros con sus números pintados en las puertas, como habitaciones de enfermos; el bar de la clase turística con sus taburetes rojos de cuero y los focos de luz naranja, el podio para la pequeña orquesta que siempre desafinaba las mismas melodías. Una música vieja y nostálgica, sin lugar de origen, apropiada para cualquier edad, para cualquier viajero, para todo estado de ánimo. *Polvo de estrellas, Algo para recordar, Vámonos a Cuba, Siboney* y *Bahía.* Quizás éstos introducirían alguna novedad, quizá podían ejecutar, en el sentido literal del término, *Diamantes para ti, Dominó* y *Michele.*

El viaje leído: la Bella Pasajera, paseando por la

borda su languidez vestida de verde, su falsa curiosidad que conducía, inevitablemente, al camarote oscuro; bailando, a la noche, con la gracia medida y la incitación justa un lento bolero de Los Panchos, prolongando los pasos como las «o» de «amooooor» y moviendo las caderas (el golpe preciso, como un bamboleo de mar) en una rumba que sólo sobre él tuvo un efecto depresivo: creyó estar viajando en el tiempo hacia atrás, no en un barco en el espacio.

El viaje leído: a la hora del desayuno, los pasillos que conducían al comedor repleto, gente apoyándose en las barandas, con caras de mal dormidos, porque anoche el mar estuvo picado y usted vio cómo se movía hasta el espejo, se desparramaron las cosas del bolso y no pude encontrar las pastillas para el mareo. Y a la hora de las comidas, la avidez mal disimulada de los viajeros, que quieren aprovechar bien el precio del billete y miran con ilusión una carta donde el menú siempre se repite, a la espera del postre insólito o el champagne que nunca llega.

El viaje leído: el baile nocturno en la pista que se prolonga hasta el amanecer, los oficiales dirigiendo sus miradas profesionales hacia las piernas y tobillos, hacia los muslos y caderas, mientras lentamente encienden un cigarrillo americano y repiten que el barco es una réplica, una maqueta del otro mundo (ése que está ausente durante quince días de navegación); una réplica mezquina, como todas las reproducciones a escala, pero igualmente regido por leyes, igualmente centrado en la cacería; con sus autoridades, sus clases sociales y su mercado. Ahora la orquesta ataca, ataca y ejecuta *El tercer hombre*, hay un modesto y bienintencionado juego de luces sobre la pista para iluminar al saxofonista, soliloquio de saxofón, sexo y ron, luz amarilla sobre las manos regordetas con un leve vello azul, algunas parejas se mueven morosas y lentas, el mareo del mar y del alcohol, de la incertidumbre, del agua, de los vínculos breves y fugitivos, el barco tiene algo de ghetto, algo de cárcel y la Bella Pasajera baila sola en el centro de la pista, no quiere pareja, por el momento, él acaba de pedir otro whisky y la mira, bajo las guirnaldas de papel y los farolitos chinos que le traen reminiscencias de su infancia, las guirnaldas que cuando la luz de salón se apaga quedan colgando, trofeos sin valor, testimonios tristes, luciérnagas moribundas.[1]

La noche no circula libremente arriba del barco; tiene sus normas, su código, sus ritos que cumplir. Después de las doce, camareros poco amables (desprecian a los viajeros de clase turística, que no dejan propinas y siempre tienen hambre) depositarán sobre la larga mesa blanca del salón las fuentes con pizza; los agitados bailarines se lanzarán sobre los platos como exiliados hambrientos. *No angustiarás al extranjero: pues vosotros.* La pista queda vacía, con sus guirnaldas colgando: todos se concentran alrededor de la mesa y la salsa roja chorrea sobre el mantel. Sólo la Bella Pasajera no corre en dirección a los platos. Lo mira, inquisidoramente, desde lejos, y él recibe la mirada como un signo, la luz de altamar, el faro verde encendido en la noche que guía a los viajeros. Él siente que dentro del viaje, hay otro viaje.

Un marinero coloca el cartel de Actividades con el programa para mañana, sábado. A las siete: misa matutina. ¿Quién va a la misa de mar? La pareja de ancianos del camarote A 26, probablemente. Una vieja desdentada y su marido enfermo. Le tocó compartir la mesa con ellos, dos veces. Él se queja del estómago y casi todo lo que come le hace mal. Ella sonríe comprensivamente, mira a su alrededor, explica al resto de los viajeros (indiferentes, sumidos en sus propios platos):

—Es el mareo, ¿saben? Le hace mal el movimiento del mar.

¿Lo lleva a morir a su tierra? ¿Va a morir al pueblo

1. «harán nido en tu pelo», del tango *El día que me quieras*, traducido libremente por Vercingetórix: «arácnido en tu pelo». A Vercingetórix le parecía un poco raro que Carlos Gardel le cantara a los ácaros rojizos incrustados en una cabellera de mujer, pero en materia de amor era muy comprensivo, y luego de desentonar muchas veces la misma estrofa con su profunda voz de bajo, se negó rotundamente a modificarla. En las plazas, en los cafés y en los lugares nocturnos miraba fijamente el pelo de las desconocidas, tratando de descubrir, bajo las tinturas, el oscuro nido del arácnido.

donde nació? Tiene el rostro amarillo, ojeras verdes y no habla casi nunca. La vieja mastica lentamente, picotea el plato; sin prisa, sin ansiedad, termina siempre toda su comida, aunque sea la última en levantarse de la mesa, cuando ya el camarero la mira con impaciencia. Como un pájaro gris, la vieja devora todo lo que ponen ante ella. Él no puede. El viejo mira la comida y su rostro adquiere un tono ceroso de maniquí. «Come, come, hombre», insiste la vieja. Y la salsa de los fideos, roja, parece más agresiva, más insana que nunca. Hasta que él se cansó de ver el mismo espectáculo y le dijo, mientras los demás limpiaban el fondo del plato con un trozo de pan:

—Llévelo al médico de a bordo y pídale un menú especial.

La vieja lo miró con sorpresa. Después, contempló al viejo como si por primera vez considerara seriamente la posibilidad de que estuviera enfermo, y eso fuera algo ofensivo, desvalorizador; algo que no tenía que ver estrictamente con el viejo, y que cambiaba el orden que ellos dos habían establecido. Luego volvió los ojos hacia el plato, lleno de una salsa roja humeante y salpicada de pimienta, pareció lamentar el desperdicio, y le dijo:

—No. Es el mar. Es el mar. Es el mareo del mar.

Él pensó con disgusto en un funeral a bordo.

De diez a doce, actividades varias. En la sala turística, los sillones tapizados de cuero marrón están ocupados por gente madura que dormita, de espaldas al mar. Dormitan con las cabezas echadas y las piernas abiertas, como muñecos desvencijados. En algunas mesas bajas se juega al dominó y a las cartas. Hay una sala de lectura vacía. Recorrió los estantes, el primer día, con cierta curiosidad; eran estantes de madera oscura, barnizada, cubiertos con vidrios, para que un movimiento brusco del barco no los arrojara al suelo. En la sala no había nadie, ni encontraría a alguien, en los días siguientes. Una hoja pegada a la pared indicaba las instrucciones a seguir en el caso —remoto— de que a un pasajero se le ocurriera leer un libro. *Diríjase a un oficial de a bordo, cite su número de pasaporte y el título del libro que desea leer. Contra resguardo, le será entregado el volumen.* «Historias de santos.» «Robin Hood.» «Manual de horticultura.» «María.» «Las pirámides de Egipto.» «Las aventuras de un bergantín.» «Los novios.» «Hamlet.» La sala tenía algo de íntimo y recogido; permaneció allí bastante tiempo. Había una mesa larga y ovalada, de madera oscura, con tres lámparas de melamina verde que proyectaban, sobre las elipses descritas en la superficie, una luz clara y agradable. Las paredes estaban cubiertas por láminas de barcos; había una fragata del siglo XVI, con sus vergas amarillas y sus velas desplegadas; un bergantín francés, una nave de dos puentes y sesenta cañones y una carabela del siglo XV, con una gran cruz roja de emblema. Aunque estaba vacía, le pareció una sala muy adecuada para leer, mientras el mar rumoroso acecha, para fumar una pipa y escribir un libro, un libro de largas travesías que empiezan incesantemente, sin terminar nunca. Había, además, planos de las cabinas y de los diferentes niveles del barco en que viajaban.

El viaje leído: nunca quiso viajar.

El sol ilumina o no la cubierta —lisa como una rampa— y siempre hay gente de la tripulación pintando un trozo de barco, con esmero, emparejando el color. Como esos artefactos de madera que en la Edad Media se usaban para asaltar las fortalezas; él tenía la sensación de que el barco era una mole de madera sobre un pedestal, que avanzaba lenta y pesadamente a través de las aguas que se abrían en abanico a su paso.

El viaje leído: la orquesta tocaba los últimos compases de *Mi tonto corazón* y él acababa de arrojar el cigarrillo al suelo, cuando la Bella Pasajera se acercó, y mirándolo tranquilamente con sus grandes ojos verdes, le dijo:

—Lo desafío a una partida de ajedrez.

Él, manso, la siguió hasta la sala de juegos, que a esa hora de la noche, estaba vacía. Iba detrás, y el movimiento de sus caderas, felino, lo arrastraba como un olor.

Se sentaron frente a una cómoda mesita de tapete verde; al costado, por la ventana, el mar, espeso y negro, no se veía. Ella distribuyó las fichas con soltura. «He perdido», pensó él, enseguida. Todavía no había dispuesto las piezas en el tablero, pero ya no tenía posibilidades de triunfo. Con un sentimiento íntimo de derrota, colocó la hilera de desventurados peones que pronto iban a desertar. Ella tenía unos alfiles delicados, unos bronceados caballos que se movían con seguridad e inteligencia sobre el tablero. «Perderé», pensó. «Ya he perdido.»

Entró un oficial con su uniforme blanco y se quedó mirando la partida; el oficial miraba a la mujer que miraba el tablero y las manos largas, finas y delicadas de la jugadora operaban con suma precisión; como un cirujano corta, abre la piel de un solo movimiento, ella hundía el alfil en la casilla vacía y extirpaba el peligro, avanzando, siempre avanzando. «Perderás. Ya has perdido. En el otro lado del juego ya has perdido», le pareció que le decía la mirada inteligente del oficial.

Realizó otro movimiento desconcertado, un movimiento de dama que sólo tenía una virtud disuasoria, y se quedó esperando. Vio cómo los ojos del oficial distinguían a la Bella Pasajera con una mirada apreciativa, que tenía en cuenta sus cabellos bien cortados y espesos, los hombros anchos, la espalda bronceada, las piernas firmes y las manos finas, al mismo tiempo que el brillo de la mirada y el estructurado juego de caballos.

Doblegó su rey antes de que el jaque fuera definitivo.

Al salir, el oficial la invitó a beber una copa, pero ella rechazó la invitación y lo cogió del brazo.

—¿De modo que es la primera vez que viajas? —le dijo, como si reiniciara una vieja conversación, y ahora estuviera dispuesta a seguirla en el camarote.

Cuando ella cerró la puerta y comenzó a quitarse el vestido, sin haberse despojado antes de los zapatos, él pensó que eso también ya lo había leído.

El viaje leído: se acercó a la borda, luego de diez días de navegación sin escala. A Occidente, vio el mar envuelto en olas blancas, como un recién nacido; a Oriente, un líquido espeso, con pequeñas raíces vegetales, bolsa amniótica que bajo la débil luz del sol producía una cierta tumescencia. Al Sur, las estelas del barco eran senderos de agua que nadie recorría, exploradores perdidos en el mar análogo. Al Norte, una superficie oscura y bituminosa, la huella de un saurio atrapado en un lago de turba. Un saurio solitario y acorralado que no se anima a asomar la cabeza. Como el niño pequeño (no tendría más de tres años) a quien su padre, un individuo alto y desgarbado, de gran cabeza huesuda, intentaba convencer de que pronto arribarían a la ciudad. Soplaba un poco de viento y la camisa blanca del padre flotaba en altamar como una bandera sin eco. Algunas gotas de mar salada mojaban la baranda, las reposeras de listas rojas vacías, como tiendas de campaña abandonadas. El niño se aferró al pantalón oscuro del padre (mástil contra el viento) y exigió, con la imperiosidad del deseo obsesivo:

—¡Quiero ir a la calle! ¡Quiero ir a la calle!

Equis miró la enorme avenida del océano sin escalas, la superficie líquida en su vaivén antiguo (el niño continuaba gritando: «¡Quiero ir a la calle! ¡Quiero ir a la calle!»), se acercó a la baranda, tocó el frío hierro pintado de blanco sobre el cual la acidez del mar empezaba otra vez a formar llagas e intentó ver, bajo las crestas relucientes de las olas, las reliquias saladas de las ciudades sumergidas. Como el viejo augur que auscultaba las vísceras calientes de los animales sacrificados, le dijo al niño:

—En el fondo hay una ciudad llena de calles con árboles en forma de pez y pulpos que giran como tiovivos. Hay flores de agua y casas de paredes transparentes; cuchillos verdes y faros encendidos toda la noche, para no tener miedo. Pero hay que saber mirarla, porque está escondida.

El niño, sigiloso, buscó en sus bolsillos, sacó un trozo de vidrio azul pulido que le había regalado un marinero una mañana de llanto, y mostrándoselo a Equis le dijo:

—Me parece que con estos lentes voy a poder verla.

DIARIO DE A BORDO

Lunes, 12 de junio.

A las ocho y media de la noche de ayer, se celebró la anunciada fiesta del paso de Gibraltar. El acto, que se vio muy concurrido, resultó animadísimo. La flor natural de poesía fue otorgada al ilustre pasajero don Joaquín Arias, quien nos recitó, con voz emocionada, los bellos versos fruto de su pluma. *(Una Sheaffer de plata, modelo extraplano, que además indicaba la hora, el día, el mes y hacía sonar una bonita melodía para despertar a la esposa del señor Arias, algo propensa a las dormilonas y a la gordura.)* Al ganador se le entregó un lujoso pergamino, con la firma del capitán, los oficiales, los camareros, el cocinero, los músicos y los pasajeros. *(Equis no firmó porque discrepaba con una asonante del verso final. Dijo que era una cuestión de principios.)* Don Joaquín Arias se encontraba acompañado por su esposa y su hijita, que lucían sus mejores galas.

También se celebró el aniversario de uno de nuestros estimados pasajeros, don Benito Alonso, quien cumplió a bordo sus sesenta y cinco años, rodeado de sus más estrechos familiares. El señor Benito Alonso viaja de regreso a su país natal. Nos dirigió unas emotivas palabras, recordando los años que vivió en América, sus enormes sacrificios, su brillante carrera comercial, de mozo de café a propietario de una serie de restaurantes y el deseo que tenía de volver, triunfante, a su lugar de origen. Deseo que por fin se ha cumplido. Los pasajeros tuvieron la simpática iniciativa de organizar una colecta y fue obsequiado con una hermosa corbata de seda natural.

Mañana se celebrará el Día del Disfraz a bordo, y también ofreceremos un premio, consistente en una hermosa cubiertera de plata, a quien luzca el disfraz más original. Éste será elegido por aclamación entre el público. Después, habrá baile, con la maravillosa orquesta que nos acompaña. Para festejar mejor este día, se ha dispuesto adornar con guirnaldas los puentes A y B.

Estado del tiempo:

A mediodía de ayer nos hallábamos a 20 grados de Latitud Norte y 94 grados 15 de Longitud Oeste. Cielo nuboso y viento Este suave. Mar poco agitado.

Temperatura: 12 grados centígrados.

HACIA MEDIANOCHE SE VERÁN LAS LUCES DEL FARO DE GIBRALTAR.

EL TAPIZ DE LA CREACIÓN, I

El tapiz[1] *está dispuesto horizontalmente, de modo que el visitante que está sentado frente a él, en el largo sillón de madera tallada, o de pie, a pocos pasos de distancia, puede contemplarlo en toda su extensión, desplazando su mirada del costado izquierdo al derecho y de arriba a abajo. En el tapiz, como en ciertos cuadros, se podría vivir, si se tuviera la suficiente perseverancia. Todo en él está dispuesto para que el hombre se sienta en perfecta armonía, consustanciado, integrado al universo, rodeado de criaturas fantásticas y reales: pájaros con cola de pez y perros alados, leones con caparazón de tortuga y serpientes con cara de lobo; ángeles que pescan con aparejos y vientos contenidos en odres hinchadas; todo, en el tapiz, responde a la intención de que el hombre que mira —espejo del hombre representado con hilos de colores— participe de la creación, al mismo nivel que el buey de cabeza de loro y la espada de la cual nacen hojas lanceoladas y para que sin salirse de los límites de la tela, esté en el centro mismo de la creación, no por ello alejado de los bordes o extremos. Hay cuadros así, donde todo está dispuesto*

1. Se trata de *El tapiz de la creación,* de la Catedral de Gerona. En alguno de sus viajes, Equis vio este tapiz. Y se conmovió. A diferencia de la tapicería gótica, que combina elementos paganos y corteses con símbolos cristianos, el de la creación es mucho más austero, corresponde a esa religiosidad medieval capaz de construir un mundo perfectamente concéntrico y ordenado. Pero cualquier armonía supone la destrucción de los elementos reales que se le oponen, por eso es casi siempre simbólica. Equis contempló el tapiz como una vieja leyenda cuyo ritmo nos fascina, pero que no provoca nostalgia.

para que el hombre viva en ellos exonerado del resto del mundo.

El tapiz original, tejido en el siglo XI o tal vez en el XII, tenía seis metros de largo, de los cuales sólo se conservan tres y sesenta y cinco centímetros. El desgaste del tiempo (épocas enteras sublevadas) ha hecho desaparecer casi la mitad, pero algunos hilos de colores y la estructura general de la obra permiten saber qué temas se desarrollaban en la parte desaparecida del tapiz y los fragmentos que se conservan, mutilados, lo confirman. Lo que admiramos en la obra, además de su fina elaboración, de su bello entramado y la armonía de sus colores, es una estructura; una estructura tan perfecta y geométrica, tan verificable que aún habiendo desaparecido casi su mitad, es posible reconstruir el todo, si no en el muro de la catedral, sí en el bastidor de la mente. Allí se despliegan los metros que faltan, como fragmentos de una armonía cuyo sentido es la metáfora del universo. Lo que amamos en toda estructura es una composición del mundo, un significado que ordene el caos devorador, una hipótesis comprensible y por ende reparadora. Repara nuestro sentimiento de la fuga y de la dispersión, nuestra desolada experiencia del desorden. Un esfuerzo racional y sensible por dotar a toda la materia de sentido sin renunciar por ello a la complejidad. En telas así sería posible vivir toda la vida, en medio de un discurso perfectamente inteligible, de cuyo sentido no se podría dudar porque es una metáfora donde todo el universo está encerrado.

Lo que nos asombra y nos asombrará siempre, es que una sola mente haya podido concebir una estructura convincente, placentera y dichosa como ésta; una estructura que es una metáfora, sin dejar de ser por ello, también, una realidad.

EQUIS, III: EL HOMBRE ES EL PASADO DE LA MUJER

Teniendo en cuenta las previsiones de la Organización Mundial de la Salud (O. M. S.), que leyó en una revista extranjera, mientras volaba de Madrid a Toronto, y suponiendo que él es uno de los individuos que se ajustan a los cálculos generales, Equis[1] supone que vivirá hasta los setenta años, siempre y cuando un automóvil veloz (es un peatón algo distraído), el cigarrillo («Acelérame la muerte», es la frase con la que Vercingetórix suele pedirle un cigarrillo, siguiendo un hábito que Equis reconoce como un rasgo psicológico de sus compatriotas: transformar lo angustioso en una broma macabra), o un general ensoberbecido no aparezcan de improviso, para alterar las estadísticas. Los años que le faltan hasta entonces, Equis quisiera pasarlos sentado en la butaca del cine Rex,[2] función continua, desde las dos de la tarde, contemplando (con detrimento de su coxis, pero la belleza exige alguna clase de sacrificio) las evoluciones de Julie Christie en la pantalla, lugar donde estará a salvo, siempre, del paso del tiempo, de la celulitis, el cáncer y la bomba de neutrones.

De todo eso quisiera salvarla él mismo, y también, del monstruo infame que la acecha en la habitación, oculto en el último rollo, tenaz, invisible, todopoderoso, dispuesto a violarla con sus máquinas secretas. Julie Christie se pasea, nerviosa, con un temor impreciso; nada de lo que ve, en principio, en ese laboratorio que conoce bien (pues trabaja en él) la induce al temor, sin embargo, sus narinas (esas deliciosas y delicadas alas de mariposa) tiemblan casi imperceptiblemente y sus ojos de gacela, inquietos, buscan, entre los frascos y potes, entre las retortas y los tubos de cristal, una señal, un indicio del peligro que le aguarda. El monstruo —invisible pero omnipresente, «como las dictaduras», dice Vercingetórix— con una orden de su poderoso cerebro ha cerrado puertas y ventanas; cuando Julie Christie escucha el ruido de un objeto al caer y de la última cerradura que faltaba, se lanza hacia la puerta, grita desesperadamente, sin que nadie la oiga, y Equis comienza a transpirar. Transpira por los bellos ojos de Julie Christie, en los que el miedo aletea como un pájaro enjaulado; por los cabellos de Julie Christie que comienzan a despeinarse; por las piernas de Julie Christie que buscan, afanosas, un camino de salida; por su pelo rubio, por su boca carnosa, por sus senos firmes, por sus brazos torneados y Vercingetórix dice, súbitamente:

—No la aguanto más. Me voy. Ya tuve bastante.

Y lo deja solo en el cine (la sala está vacía) admirando ese rostro de mujer en la pantalla, esos cabellos. Solo y anhelante, a la espera (una espera que se prolonga demasiado, multiplicando morbosamente los detalles, con un regodeo oscuro que invita a la complacencia) de la máquina implacable que se lanzará sobre la bella Julie Christie con el furor y la inmisericordia de los mecanismos, de las piezas engarzadas con precisión, de la fuerza que se sabe irresistible —como un temblor de tierra o la erupción de un volcán— y puede actuar cuando quiere. Solo y anhelante, escuchando su propia respiración amplificada por el resuello de la máquina excitada; solo con el temor de que sus propias fantasías aparezcan ahora en la pantalla, y dividido entre el amor a Julie Christie, el deseo de salvarla y la secreta, maligna complacencia con lo que va ocurrir, la máquina rompiendo, destructora e implacable, todos los objetos de la habitación; la máquina perforando las paredes; la máquina resoplando mientras reduce a escombros los obstáculos que ella, ingenuamente, pone a su paso; la máquina convirtiendo en hojarasca el vestido de Julie Christie, riendo cuando ella queda desnuda, indefensa y en el colmo de su atracción; Julie Christie desnuda no parece desnuda; todavía está vestida con la mirada turbia y languidecente —ambigua— de sus ojos de mar; todavía está vestida con los senos como paltas; la máquina que, atronadora y múltiple la aplasta contra la cama entre las luces refulgentes del rayo láser.

Todo parecía irremediablemente estúpido alrededor, en la pantalla, salvo aquel acto descomunal y polimorfo, brutal como la conquista de Leda por el cisne. Todo parecía irremediablemente estúpido al lado de la cosmogónica deflagración del orgasmo macho, especialmente los hombres tontos y ciegos, incapaces de oponerse a la máquina y su furor, que la habían dejado sola y un grupo de mujeres había colgado un cartel, a la puerta de un edificio público al lado del cine. El cartel decía, en grandes caracteres: EL HOMBRE ES EL PASADO DE LA MUJER, afuera llovía, el portero del cine, cuando lo vio salir por tercera vez y dirigirse nuevamente a la taquilla, lo miró, socarrón y le dijo:

—Le convendría hacerse socio. Como un club de fútbol.

Y él, borracho todavía por la luz de neón y por los efluvios de los ojos azules de Julie Christie secuestrada, de Julie Christie empalada por la máquina fálica, cambiaba las escenas de la película y sobre la pantalla ya no veía más el pésimo film de Danniels, sólo veía a Julie Christie balanceándose, a Julie Christie sacudiendo los cabellos, a Julie Christie susurrando *el hombre es el pasado de la mujer*, un pasado tosco, anterior a la conciencia, deplorable, como todos los pasados, y la máquina estaba a punto de violarla por segunda vez, una máquina bestial y omnipresente, a la cual era imposible identificar porque se trataba, en realidad, de un símbolo, un símbolo que estaba en todas partes y contra la que Julie Christie, el porvenir del hombre, nada podía hacer, pues esa máquina pesada y torpe, tosca y ensoberbecida, no conocía el límite ni la resistencia, gran símbolo fálico, estructura del poder invencible.

Después de la última función, abandonó, extenuado, el cine, bajo la mirada burlona del portero.

—Le puedo vender un fotograma —le dijo el hombre, con ese oscuro sentimiento de superioridad de los que no entienden. ¿Cuál le gustaría? ¿El de la violación? Vamos a cerrar —agregó—, pero mañana volveremos a abrir, duerma tranquilo, siempre hay sitio —le aconsejó, paternal y burlón.

—Hay dos cosas que detesto en la vida —respondió Equis—. La segunda, es esperar.

Vercingetórix estaba, medio borracho, en la puerta del bar. Se había empeñado en destruir el cartel golpeándolo con sus grandes manazas de orangután. Mojado y todo, el cartel resistía, a pesar de que Vercingetórix había conseguido perforar la H de hombre y la S de pasado.

—Pero, ¿qué estás haciendo? —le reprochó Equis, cuando lo vio, el brazo derecho amarrado a una A y una D al hombro, como un disfraz de payaso.

—Estoy haciendo pedazos el futuro del hombre —dijo Vercingetórix, con esa rapidez que caracteriza al borracho con un largo ejercicio en rescatar palabras del lago del alcohol.

1. En cuanto a los nombres, Equis piensa que en general son irrelevantes, igual que el sexo, aunque en ambos casos, hay gente que se esfuerza por merecerlos. Una vez, se entretuvo haciendo una lista de nombres posibles para él. Ulises era adecuado para destacar la condición de viajero, pero sus resonancias literarias lo determinaban demasiado. Se hubiera sentido en la obligación de reescribir la Odisea, como peripecia moderna: cualquier motivo es bueno para huir de una esposa abnegada. Archibaldo era sonoro, pero algo antiguo. ¿Había sido caballero de alguna orden? Tendría que averiguar en la enciclopedia de su vecina. La buena señora acababa de comprarse una, flamante, de treinta y seis volúmenes encuadernados en pasta roja, del mismo color que sus sillones. De regalo, le dieron un mueble de madera barnizada, donde ella colocó el televisor y el gato. Equis conoce a un individuo que se gana la vida vendiendo enciclopedias editadas en fascículos. Sabe todas las respuestas que puede darle un cliente remiso, y las publicó en un folleto que recibió un premio de la Asociación de Vendedores Ambulantes. Lo conoció por casualidad. Trató de venderle los fascículos que le faltaban de la Historia de la Medicina, Manual Práctico. Confidencialmente, le contó que casi todos sus clientes

eran hipocondríacos. «Igual que yo», respondió Equis. «Si compra todos los que le faltan de una sola vez —le explicó el vendedor— podrá hacerse un diagnóstico rápido y eficaz sin necesidad de ir al médico.» «Prefiero esperar cada lunes, cuando se ponen a la venta —le contestó Equis—. Hacia el fin de semana, siempre me siento fatal, y el domingo me acuesto con mucha expectativa: estoy seguro de que descubriré mi nueva enfermedad en el fascículo siguiente.» El vendedor quedó algo perplejo. Enseguida sacó su libreta de notas y apuntó. «Repítame eso de la ex...» «pectativa», corrigió Equis. Después, leyó la línea de la hoja, para cerciorarse de que estaba bien escrita. «¡Es extraordinario!» —exclamó el vendedor. «Nunca me habían dado ese argumento. Tendré que agregarlo en la nueva edición del folleto de Consejos a los Vendedores Ambulantes y buscar una respuesta adecuada. Todos los días se aprende algo nuevo. Cuando la tenga, lo llamaré por teléfono.» Y le pagó una cerveza.

También le hubiera gustado llamarse Iván, pero estaba seguro de que a alguien se le iba a ocurrir que se trataba de un fugitivo del Este. Y Horacio era imposible, después de *Rayuela.*

2. Derruido posteriormente, a causa de la inflación, el avance de los medios técnicos y el video. En su lugar se levanta un cementerio de automóviles, tan destartalado como el viejo cine. Años después —cuando Julie Christie ya se había convertido en monja de una congregación de Hermanas Descalzas— Equis descubrió, en el baldío cercano, el resto del rótulo luminoso del cine, precisamente la letra *X*. Todavía conservaba algunas lamparitas y alambres, los cables se habían desflecado y era inútil pensar que iluminara nada, pero Equis se abrazó a ella como a un rencor, y la arrastró hasta su apartamento. Dificultosamente subieron juntos la escalera, jadeantes, y la portera no dijo nada, porque estaba harta de verlo vivir solo, y prefería una letra desmadejada a los aullidos de un perro.

EL VIAJE, IV: HISTORIA DE EQUIS

A poco de llegar a una ciudad, Equis consigue trabajo —es muy hábil y puede ganarse la vida dictando clases acerca del romanticismo alemán o barriendo los andenes del metro, como taquígrafo en una empresa naviera o sirviendo platos en un restaurante—, alquila habitación, compra algunos libros (Equis se ha resignado a comprar los mismos libros en diversas ciudades), algunos discos (Equis adora la música de Wagner y sus días son mejores cuando puede oír «*O sink hernieder*» cantado por Kirsten Flagstad, versión que como ha podido comprobar, no se encuentra fácilmente en cualquier tienda) e instala dos o tres objetos familiares, carentes, en general, de cualquier valor que no sea el afectivo. No son siempre los mismos, porque Equis ha comprendido que en definitiva, su existencia, como la de casi todo el mundo, es una incesante dialéctica entre la pérdida y la conquista, donde muchas veces extraviamos —por azar, desgracia u olvido— cosas que amamos y ganamos cosas que nunca quisimos obtener —por error, suerte o indiferencia—. Pasando de ciudad a ciudad, Equis ha adquirido objetos y ha perdidos otros, y aunque a veces, a la mañana, despierta sorprendido, con una anhelante necesidad de volver a ver un objeto que recuperó en sueños, y que abandonó hace algunos años en una pieza de hotel o regaló a un amigo ocasional, y Equis sabe que esa angustia es muy intensa (como si de recuperarlo dependiera alguna clase de certeza, de fidelidad o de asistencia), puede decirse que el tránsito de los objetos, su fugacidad, es algo que acepta con naturalidad, inmerso en el fluir del tiempo como un pez en la corriente. Quizá por la misma razón, tampoco experimenta excesiva alegría cuando —instalado en otro lugar— vuelve a poseer algunos objetos.

1. Es falso decir que Equis ha encontrado trabajo rápidamente en todas las ciudades en las que ha vivido durante esta larga e inconclusa peregrinación. Son tiempos difíciles y la extranjeridad es una condición sospechosa. El hombre sedentario —el campesino o el hombre de ciudad que viaja sólo ocasionalmente, durante sus vacaciones o por asuntos de familia— ignora que la extranjeridad es una condición precaria, transitiva, pero también intercambiable; por el contrario, tiende a pensar que algunos hombres *son* extranjeros y otros no. Cree que se nace extranjero, no que se llega a serlo.

Una vez, caminando por la calle de una ciudad en la que no había nacido, Equis se encontró con una mujer que tenía un curioso parecido con otra, que había conocido años atrás, en otro lugar. Posiblemente el parecido era más ilusorio que real —Equis es un buen viajero y conoce perfectamente la sensación de *déjà vu*—; posiblemente, el parecido era fruto de la alucinación o de la nostalgia, de la soledad o del deseo, pero guiado por esa emoción que nacía en zonas ambiguas, Equis se acercó a la mujer, y con mucha delicadeza, la invitó a tomar un café.

—Discúlpeme —le dijo, con un acento que ella debió considerar extraño—. Usted me recuerda a una mujer que conocí hace tiempo, en otro lugar. No se sienta responsable por eso. ¿Podríamos sentarnos a tomar un café?

La mujer, más sorprendida que interesada, no atinó a rechazar la invitación, poco frecuente. Se sentaron frente a una mesa roja, en un abominable bar americano que Equis detestó de inmediato, pero fue elegido por ella y le pareció poco cortés de su parte resistirse. La música era estridente, y además, el lugar estaba lleno de máquinas tragamonedas. Las paredes olían a aceite, a sudor y por todas partes había relucientes fotografías de hot-dogs y patatas fritas. Ella pidió un helado de vainilla, con nata y chocolate. Equis, un café.

—¿Es usted extranjero? —le preguntó la mujer, como si eso tuviera mucha importancia. Equis se fastidió.

—Sólo en algunos países —le contestó— y posiblemente no lo seré durante toda la vida.

Ella lo miró con cierta sorpresa.

—No nací extranjero —le informó—. Es una condición que he adquirido con el tiempo y no por voluntad propia. Usted misma podría llegar a serlo, si se lo propusiera, aunque no se lo aconsejo. Por lo menos, no de una manera definitiva.

«De cada tres tipos que se me acercan, dos están completamente locos», pensó ella, que se consideraba una mujer de poca suerte. No atinaba a explicarse porqué. No era fea, había estudiado dos años en una universidad y su familia no tenía ninguna tara apreciable. En alguna parte había leído que los seres humanos emiten, igual que los animales, un efluvio químico, aparentemente imperceptible, pero que actúa como poderoso influjo de atracción o de rechazo. Con seguridad, el suyo atraía a los locos. Y el mundo estaba lleno de locos sueltos. Seguramente no los encerraban a todos porque no había espacio suficiente, y muchos hacían una vida aparentemente normal, hasta que el efluvio químico aparecía y entonces la particularidad se desencadenaba. Dejaban libres a los más tranquilos, a los menos peligrosos, pero igual, deberían obligarlos a llevar un distintivo, una marca, como los alérgicos o algo así, para que la gente no estuviera expuesta a toparse con ellos y a tratarlos como a individuos normales.

—Hace años, precisamente —continuó Equis— conocí a una mujer muy parecida a usted, si me permite la irreverencia de una comparación.

Hablaba de una manera muy retórica y algo arcaica; ella pensó que a lo mejor se debía a que los extranjeros aprenden la lengua de una manera menos espontánea; o quizá fuera un síntoma de su locura.

—Hace muchos años —insistió Equis—. Yo sólo tenía seis.

Ahora sólo faltaba que le contara toda su infancia. Los locos tienen tendencia a refugiarse en la niñez.

¿Cómo haría para ponerse de pie e irse sin provocar una escena violenta?

—Es muy curioso: era extranjera, y tal vez por eso, me enamoré de ella.

—¿A los seis años? —preguntó ella, alarmada, y olvidándose momentáneamente de que estaba hablando con un loco.

—Fue mi primer amor —respondió Equis, algo orgulloso. Se arrepintió enseguida. ¿Por qué iba a sentirse orgulloso de eso? —Pero lo importante —señaló— es que se trataba de una extranjera.

A ella eso le pareció sin ninguna importancia.

—¿Comprende? Era una mujer alta, espigada, de cabellos castaños, que hablaba con dificultad nuestra lengua. A mí, a los seis años, me parecía delicioso oír el rumor de sus erres y el silbido de sus zetas.

«Está completamente loco. ¿Será mejor que me ponga de pie y le diga, por ejemplo: —Discúlpeme, debo irme, llegaré tarde al trabajo, o huiré directamente por la puerta de la izquierda? Nunca se sabe cómo puede reaccionar un loco.»

Súbitamente, Equis se sintió muy melancólico. Tanto, que dudó frente al relato iniciado, no supo si continuar o no.

—Usted, por ejemplo, ¿cuántos amigos extranjeros tiene?

Había perdido su oportunidad. Pudo haberse levantado en el momento en que él calló y salir corriendo por la puerta abierta. No le importaba correr. Además, era cierto que se le estaba haciendo tarde.

El silencio de la mujer aumentó su melancolía.

—El otro día vi a una anciana en el metro —comenzó a contar, súbitamente—. Iba sentada frente a mí. Una anciana deliciosa, debo decir. Tenía los cabellos blancos y una sonrisa muy fresca; los ojos, que eran muy vivaces, también sonreían. Miraba con curiosidad y ternura, con cierto regocijo interior. Tenía un bolso en la mano, con verduras. Parecía algo pesado. Me sonrió espontáneamente, y esa sonrisa me conmovió por completo. ¿Sabe usted? Los emigrantes tenemos una vida emocional muy inestable.

«Me lo imaginé —pensó ella—. Ahora me va a contar toda la historia del hospital, su internación, cómo huyó y yo tendré que llamar a la policía, con lo que detesto meterme en problemas.»

—Nos volvemos hipersensibles —aclaró Equis—. Pensé en una tía que tengo. Una vieja tía que cuando era chico me tejía pulóveres y me preparaba pasteles, adornados con frutas. Hace muchos años que no la veo. De modo que me puse a mirar a la anciana como si se tratara de ella, y la ternura que me invadió fue tanta que se me llenaron los ojos de lágrimas. Quería demostrarle mi cariño, ayudarla, subir juntos la escalera, hacer la sopa y escuchar la radio; quería conversar con ella acerca del verano y del invierno, el sabor de los tomates y de las lechugas, el precio del azúcar y la decadencia de las costumbres. Aunque usted no pueda creerlo, la anciana me miraba con ternura, comprendía, algo comprendía, algo que estaba más allá del silencio y que podríamos llamar complicidad. ¿No cree que la complicidad es lo mejor que podemos tener con alguien? Y sentados uno frente al otro, en el viejo vagón de metro que chiflaba demasiado, como un asmático, los dos establecimos esa suerte de complicidad, ella me sonreía, con cierta picardía (una picardía que sobrevolaba las naranjas de la bolsa y los tallos de apio) y yo le sonreía y había un pequeño territorio de paz y de cordialidad, de armonía, de modo que cuando llegó mi estación no se me ocurrió bajarme, no me importaba adónde me conducía, porque mi tía estaba allí, entre la media docena de higos negros y la falda meticulosamente planchada, con el olor de los limones y del pastel de nata, viajábamos sin prisa sonriéndonos mutuamente en la penumbra del vagón, soportando con comodidad los malos olores, la suciedad y el encierro, de modo que ella me alargó media manzana (la había partido con una pequeña navaja) y yo me la comí.

«A lo mejor es un maniático que siente una pasión malsana por las ancianas», pensó la mujer. «Eso, me evitaría problemas. Es posible que me parezca a alguien que conoció en su infancia, pero de ninguna manera me puede confundir con una anciana.»

—Cuando ella se bajó —continuó Equis— descendí detrás suyo. Me ofrecí a llevarle el bolso. Sonrió con un gesto radiante. ¿Comprende usted la palabra? ¿Sabe lo que quiero decir?

Además de ser extranjero, presumía de conocer bien la lengua y estaba dispuesto a darle clases. Esto la irritó.

—Por supuesto que entiendo —contestó, malhumorada.

—Me dio el bolso y caminamos juntos hasta la puerta de su casa. Me invitó a subir. Yo tuve deseos de llorar.

«¿Los locos lloran o no lloran?» Eso, ella no lo sabía. Pero era probable que sí.

—Iba a subir, pero desistí. Pensé que si subía, no iba a querer irme nunca más de allí.

Se dio cuenta de que él miraba hacia afuera, posiblemente evocando la escena. Aprovechó la oportunidad para huir.

EL VIAJE, V: HISTORIA DE EQUIS

En la ciudad de A.,[1] a la cual Equis llegó en el noveno año de su viaje nunca terminado (llamado, también, el viaje incesante, la gran huida, la hipóstasis del viaje), halló trabajo como empleado del zoo (debía limpiar las jaulas una vez al día, provisto de grandes y largas mangueras de goma) y alquiló una buhardilla, en la parte vieja de la ciudad, junto al puerto. Equis experimentaba una cierta irritación por la palabra buhardilla, que asociaba, vagamente, con novelas del siglo XIX, tangos argentinos, madres solteras, estudiantes perpetuos, enfermedades de la piel y borracheras. Pero aunque detestaba las buhardillas, es verdad que su sueldo, como empleado del zoo, no era gran cosa: Equis ganaba a la semana mucho menos de lo que se gastaba en alimentar a un chimpancé, en el mismo lapso, o de lo que costaba mantener al oso blanco, ejemplar raro y delicado. En esto, como en todas las cosas, la cantidad privaba sobre la calidad: cuando Equis reflexionaba acerca de sus condiciones de vida y las del oso blanco —simpatiquísimo, por lo demás, y con el que mantenía muy cordiales relaciones—, no tenía más remedio que admitir que el oso pertenecía a una raza en extinción, por lo cual merecía todos los cuidados, en tanto él, como hombre, pertenecía a una especie numerosa, depredadora y en constante crecimiento —como las ratas—.

Objetos que Equis instaló provisoriamente en la buhardilla de la ciudad A.

Equis arribó a A. en el mes de mayo. Lo cual no quiere decir nada, como bien sabía Equis, si no agregamos el hemisferio, ya que por un delicado equilibrio estelar, en algunas ciudades era primavera cuando en otras era otoño, y mientras en unos países había guerra, en otros existía la paz. En la ciudad de A., en el mes de mayo los castaños florecen, los plátanos de la calle lanzan unas desagradables fibras amarillentas que debido a su ingravidez vuelan y fastidian los ojos de los transeúntes, por todas partes se instalan puestos de helados, los niños no van a la escuela y el calor y el aire rancio inundan los viejos y agobiantes vagones de metro. Pero el zoológico se llena, en primavera, los animales que hibernan despiertan de un sueño letárgico (flacos, macilentos y dando enormes bostezos, mientras estiran larga y perezosamente sus extremidades) y algunas buhardillas se desocupan: las de aquellos estudiantes que, terminados los cursos, regresan a sus hogares en provincia.

Equis colocó en la única repisa (de madera barnizada) que había en la buhardilla:

Una paloma de barro, acuclillada, celeste, provista de una espléndida cola rosada. Tenía el pico amarillo, las alas se abrían como un abanico y le producía una grata sensación de placidez: en alguna parte, esa paloma empollaba, satisfecha del mundo, oronda y repleta de sí. No recordaba bien cómo había llegado a poseer la paloma, pequeña y plácida, pero le gustaba su forma y acariciaba con deleite la superficie lisa y fresca del barro pintado.

Una lámina de Venecia, que según creyó reconocer, era una reproducción de una tela de Canaletto, a menos que fuera de Vanvitelli; no podía asegurarlo, su memoria hacía tiempo que había dejado de ser fiel, de modo que a veces podía recordar un cuadro que nadie había pintado todavía.[2] En la delicada lámina de cobre —cuyo color indefinible, entre rosado y castaño, le parecía tan semejante a algunos atardeceres venecianos, del lado de la Giudecca— se veía uno de esos palacios que antiguamente fueron casas de comerciantes enriquecidos con el tráfico de oro y cristales, pequeñas y afiladas embarcaciones —desprovistas de velas— donde se transportaba el agua en barriles acostados y una barca más grande, cuyo mástil dejaba deslizar, en delicado abandono, la tela de una vela recogida. Sobre la fina lámina de cobre, el palacio era dorado, las aguas ocres y verdosas, los techos levemente anaranjados, las barcas más oscuras.

Esta pequeña y seductora imagen de Venecia reconfortaba a Equis. La perfecta armonía del paisaje, la estructura de los palacios, la simetría de los canales era la manifestación de un orden posible, de un equilibrio sin sacrificios, de una armonía redentora.

Sobre la repisa, también había una pequeña lata de té Hornimans, muy antigua. La había encontrado por casualidad, en el fondo de uno de los muebles de la buhardilla, y decidió cambiarla de lugar, ponerla sobre la repisa barnizada. Debajo de los característicos trazos rojos con sombra dorada, había una leyenda en ocre, *Boudoir*, en letras inclinadas. Pero lo que regocijaba a Equis eran los dibujos. En efecto, sobre la tapa negra, el desconocido ilustrador —un dibujante inglés, suponía Equis— había diseñado una viñeta, de forma oval, con una muchacha que leía un libro, frente a la ventana, apoyada en un largo sofá rojo. Al costado, se veía la esquina de una mesa, con su ramo de flores y una tetera. Detrás de la ventana, asomaban helechos. En la base, había otro dibujo: se repetía el óvalo y dentro de él, se veía a otra muchacha, de cortos cabellos cubiertos por una cofia. Estaba lánguidamente sentada en un cómodo sofá —cuyo decorado de flores rojas resultaba perfectamente visible— y al costado había dos pequeños almohadones, uno grana y otro rosado. Las cortinas eran blancas, con volados lilas, y detrás del sofá había una lámpara de pie, con una gran pantalla bordó y flecos verdes. El brazo de la joven se elevaba hasta la boca, sosteniendo en su mano la taza blanca de té. La misma completísima imagen se reproducía del otro lado de la caja de té Hornimans, con pequeñas variaciones: el vestido de la joven era negro y con el escote en V, las mangas, cortas, terminaban en sendos lazos verdes y a sus pies había un almohadón completamente blanco.

A Equis, las muchachas de la lata a veces se le confundían, en una amalgama de hojas de té, libros inconclusos y macizos de flores. (En realidad, en momentos de abandono y desazón, Equis pensaba que a él le hubiera gustado ser esa muchacha que lee cómodamente un libro mientras bebe una taza de té.)

Equis se complacía en elaborar la lista de posibles libros que leía la muchacha de la lata de té. (*Persuasión*, de Jane Austen; *El vicario de Wakerfield*, de Goldsmith; *La hija del capitán*, de Pushkin; *Hermann y Dorotea*; *Silas Marner*.) Le gusta imaginar los libros ya escritos que lee la muchacha de la lata de té, aunque a veces, prefiere que ella lea libros no escritos todavía, libros sólo imaginados (libros perversos).

En cuanto a Equis, los libros que suele comprar, no bien llega y se instala en una ciudad, son casi siempre los mismos: La Biblia, La Odisea, La Eneida, Robinson Crusoe, Los viajes de Gulliver, Los Cuentos, de Poe, El proceso, La metamorfosis, Los Epigramas, de Catulo y los sonetos de Shakespeare.[3] No es posible olvidar el diccionario viejo, con sus muescas negras y sus letras doradas, los dibujos a pluma, donde a Equis le gusta buscar las aves de picos ganchudos (como el azor), la borrosa reproducción del escudo de Breslau, el cuerno del yack y del orix.

También le gusta mirar los mapas de estas viejas ediciones, con sus países que ya no existen, las ciudades que cambiaron de nombre y las antiguas geografías. Igual que después de una larga dictadura, muerto el tirano o derrocado el régimen, de las ciudades desaparecen sus huellas más visibles (los nombres de las calles, los bustos y monumentos) y otros nombres, otros monumentos los sustituyen, en los diccionarios las palabras aparecen, otras envejecen y mueren, se agregan acepciones y los mapas se modifican. También le gusta buscar el dibujo de animales fabulosos, ésos creados por la imaginación del hombre y en los cuales la naturaleza del león se mezcla con la del cuervo, la mujer con el pez, el ave con la serpiente, el murciélago con el cocodrilo. Como el pequeño unicornio que sostiene en sus brazos Magdalena Strozzi, en el bello cuadro de Rafael.[4]

1. En sus conversaciones y apuntes de viaje, Equis omite deliberadamente el nombre de ésta y de otras ciudades, con el evidente propósito de no herir susceptibilidades: caro precio pagaron Dante y Virgilio, por no ser complacientes, sin tener en cuenta ejemplos más modernos. El humor de las ciudades es variable, y hoy ensalzan lo que ayer destruyeron; carecen ostensiblemente de memoria y el anhídrido carbónico (más los residuos de plomo y poliuretano) corroen —como el herpes— sus neuronas. Pero algo es evidente: Equis detesta las ciudades que no van a dar al mar. Adora, en cambio, las portuarias, con sus viejos edificios ennegrecidos por el hollín, el tizne de los muros, los periódicos mojados en las alcantarillas, sus pájaros muertos y los envases de papel arrugados en el suelo. Aunque procure mantener en la vaguedad y el anonimato el verdadero nombre de las ciudades en que Equis vivió algún tiempo, invito al lector a realizar un juego muy entretenido, especialmente en los días lluviosos de Berlín (que son la inmensa mayoría). Consiste en averiguar el verdadero nombre de las ciudades evocadas en el libro, en base a oportunas deducciones. (Nuestro siglo ha producido pocos juegos interesantes —la guerra existe desde épocas remotas—. Esto demuestra su estulticia y falta de imaginación. La mayor parte de nuestros entretenimientos vienen de la antigüedad, aunque ahora se les hayan agregado sofisticados complementos, como misiles, mandos electrónicos, cintas magnéticas o cerebros microscópicos.) De la ciudad de A., por ejemplo, se dice que en el mes de mayo los castaños florecen y los plátanos importunan a los transeúntes. Debemos descartar París, que no tiene puerto, y Londres, que no tiene plátanos. Santiago de Compostela tampoco da al mar, aunque está llena de estudiantes y de buhardillas. Y así, sucesivamente.

Haré notar, por último, que a diferencia de *Don Quijote de la Mancha,* obra en la cual el autor tampoco quiso nombrar el lugar donde su protagonista había nacido, es casi imposible trazar un mapa de los viajes de Equis por el mundo, o balbuceo. En cambio, es muy frecuente que quienes jamás leyeron la obra de Cervantes, emprendan *la ruta del Quijote,* que figura en casi todos los itinerarios de las agencias de turismo. (No vale la pena hacer el viaje: hay mucho polvo, la comida es mediocre y apenas si quedan molinos. Gigantes no se ve ninguno. Recomiendo, en su lugar, otro viaje literario: el que realizó Mr. Pint, con su encantadora novia, Lolita. Las carreteras son mejores, hay muchos entretenimientos al borde del camino y el paisaje es más variado.)

Si sus investigaciones personales —sensible lector— le llevan a la conclusión de que Equis pudo haber estado en las siguientes ciudades, durante algún tiempo: Old York, Merlín, Delicate Jersey, Texaco, Ombu-Beach, Psicos-Aires, Asnápolis, Megalópolis, Sonata-Kreutzeur, Anagrama y Quac-quac, ha ganado un certificado de apátrida, inconveniente, es cierto, en las aduanas, pero muy útil para escribir poemas.

2. La mejor manera que tiene un extranjero de conocer una ciudad es enamorándose de una de sus mujeres, muy dadas a la ternura que inspira un hombre sin patria, es decir, sin madre, y también a las diferencias de pigmentación de la piel de un continente a otro. Ella construirá una ruta que no figura en los mapas y nos hablará en una lengua que nunca olvidaremos. Nos mostrará los puentes y los lugares secretos, nos adoptatará como a niños de pecho, nos enseñará a balbucear las primeras palabras de un idioma nuevo, a dar los primeros pasos y a reconocer los árboles y los pájaros. En cuanto a esto último, no esté usted muy seguro. En las grandes ciudades donde solemos vivir ya nadie conoce los nombres de las plantas y de los pájaros. Por otra parte la mayoría de los árboles son de plástico, como los manteles.

En sueños, Equis ha hecho el amor con mujeres desconocidas, ha regresado a menudo a la infancia, a terminar alguna tarea inconclusa, ha visto montañas que giran y ríos inmóviles, fue perseguido por ejércitos de distintos países —todos iguales, por lo demás—, alguna falta imperceptible provocó una catástrofe y también pintó numerosos cuadros, que nadie ha visto todavía. Le parece que en sueños ejecuta una tarea incesante, despliega una actividad febril de la cual dependen muchas cosas. No podría pintar esos cuadros, en la vida diurna: carece de la aptitud y de la técnica necesarias; sin embargo, trata de conservarlos en la memoria como una galería particular. Como esas mujeres irreales que aparecen en los sueños, sus amantes clandestinas, y que viven encerradas en los claustros de la noche. Podría fundar un museo con esas telas, con esas mujeres. Nada hay más privado que los sueños, y su privacidad es un atributo ambiguo.

Las leyes de la hospitalidad

Una vez, por cortesía, me enamoré de una extranjera.
(Condición reversible de la extranjeridad:
yo para ella también era un extranjero.)
Su lengua, que picaba como un áspid,
no era idéntica a la mía,
y yo, por cortesía,
dejé que fuera la suya la primera.
Amarnos fue comenzar por la letra *a*.
Hube de explicarle las crónicas medievales
y pronunciar, pausadamente, la palabra *aproximación*.
Se asombraba de mis íes
y del color de nuestros mares;
a mí sus eses me parecían demasiado fuertes
y me sorprendía el nombre de sus calles.
Su lengua —además de voraz—
era difícilmente traducible
y yo en vano buscaba equivalentes
para la frase: «Te amo. Tengo nostalgia de tus manos».
Como ciegos, tuvimos que amarnos
en códigos diferentes
y no siempre estaba seguro de que ella me entendiera.
Quise regalarle la ciudad
—sus calles largas, sus cielos grises—
quise cantarle nanas
para aliviar su soledad
Quise levantarle una casa de palabras nuevas
con puertas musicales
y sellos secretos.
Quise ser amante y hermano.
Viejas leyes de la hospitalidad

me inducían a ser cortés y generoso:
suyas fueron las primicias del banquete
y las sábanas blancas.
Cuando se fue
me quedé muy solo,
mi lengua ya no era la mía,
balbuceaba palabras raras,
vagaba por los aledaños
de una ciudad vacía
y en la hospitalidad,
perdí mi nombre.

3. Hay otra lista de libros, encargados por Equis a un librero de la ciudad de Trampa, quien no sabemos si llegó a conseguirlos: las relaciones de Equis con los comerciantes de esa ciudad dejaban mucho que desear, y la única librería existente se dedicaba a vender tarjetas postales con la imagen del Monte Carmelo en invierno, como una torta nevada, suscripciones a las revistas de moda, de astrología y bricolage y bolas verdes de hachís de pésima calidad, que los colegiales mascaban como chicle. La lista es la siguiente:

El jardín de los anhelos que se bifurcan, de George Lewis Borges. (La ceguera afina el sentido literario, igual que la mudez, en la infancia. Quien carece de la aptitud de ver las apariencias tiene una relación mucho más intensa con la memoria y la imaginación, como el que empieza a hablar tardíamente se sentirá más a gusto con la palabra escrita. Según su madre, Equis empezó a hablar recién a los tres años, luego de mucha insistencia por parte de la familia y de los vecinos. La primera palabra que pronunció fue: «No». Todos se pusieron a llorar, de la alegría, pues habían sospechado que permanecería mudo para siempre, pero él, confundido y perturbado por las lágrimas, y temiendo haber herido a alguien, de inmediato se sintió culpable y dijo: «Sí». Desde entonces, conserva una gran dificultad para las negaciones, con las que teme ofender a alguien. Sólo en sueños puede decir no, y se arrepiente enseguida.)

El fuego fatuo, de Dieu la Rochelle. («¿Algunas veces siente angustia?» —le preguntó el médico. «No, doctor —dijo Equis—. Es una angustia permanente.»)

Las hortensias, de Felisberto Hernández. (Equis es adicto a las flores de las acacias, pero no a las muñecas. En cambio, es conocida la atracción de Vercingetórix hacia las enanas, especialmente a las que trabajan en el circo. Posee, también, una curiosa colección de veinticinco muñecas de porcelana vestidas como bañistas, de la época de las casetas a rayas y los bañadores largos, obtenidas a través de laboriosos intercambios internacionales —Vercingetórix no aceptaría jamás poner precio a ninguno de sus trofeos: pertenece, por gustos y carácter, a la época anterior al dólar—. Las veinticinco bañistas en miniatura —que no muestra a nadie, como un amante celoso— tienen poses tan ingenuas —opina Equis— que a la larga resultan perversas: una estira con delicadeza un brazo fino y delicado de largos dedos, hacia un mar tan lejano como inexistente; otra se arregla levemente un rizo rubio bajo la gorra de agua; hay una que con el suave pie apenas avanzado está a punto de impulsar una pelota y la cuarta se ajusta —descuidadamente— el broche del sujetador. Equis le preguntó a Vercingetórix si su colección privada de bañistas en miniatura le provocaba alguna clase de estremecimiento erótico, y Vercingetórix —ancho, alto y robusto, de fuerte madera sin pulir— respondió, airadamente: «¡No! Es de índole estético, y a veces, metafísico».)

La muerte de un jugador de ajedrez chino, de Akira Kusawata. (No se trata de una novela policial escrita bajo nombre falso por Bioy Casares, como podría suponerse. Equis se vanagloriaba de no haber leído una sola en toda su vida. En un catálogo de la Hoggarth Press, de 1969, hay una pequeña referencia a este libro, según la cual se trata de una novela de 98 páginas, escritas en verso, que describen una partida de ajedrez completa, en el siglo XIII, entre el Emperador Tiu-Kiu y un lugarteniente: habían apostado el alma, y una vez derrotado el Emperador, su rival tomó posesión de sus sueños, de sus recuerdos y de sus ambiciones, sin perder, empero, sus propios sueños, sus propios recuerdos y anhelos. La ambigüedad de tal condición enloquece al lugarteniente [que no sabe si ama y mata en nombre propio o del Emperador y empieza a saber más cosas de las que puede soportar] y termina suicidándose, en el ritual harakiri.)

Mujeres y utopías, de César Moro. (Descripción fantástica de una fauna variada: máquinas que cantan, anfisbenas, personajes de los cuadros, criaturas de fábula, siempre de sexo femenino.)

4. La frecuencia con que el unicornio aparece, durante dos o tres siglos, en la tapicería medieval y en los cuadros de las escuelas más famosas, al lado de animales reales (de perros y de gatos, de conejos y de cabras) hace sospechar que quizá no se trata sólo de un animal fabuloso, de una criatura fantástica. ¿Pintaría Rafael, al lado de la bella Magdalena Strozzi, de serena y firme hermosura (una belleza nada complaciente, exenta de ternura y de piedad, virtudes que pueden considerarse a veces como debilidades) a un animal imaginario? Nada es ficticio en el cuadro de Rafael; ni las columnas, que limitan la tela, ni la pálida campiña romana, con sus pequeñas elevaciones y sus brumas; la pieza de orfebrería que pende por un cordón del suave y contenido pecho de Magdalena Strozzi está perfectamente dibujada; nada es superfluo en la tela, nada queda librado a la fantasía, en esa frente tersa y lisa, en la tímida sombra del mentón. ¿Habría de ser el pequeño, tierno y delicado unicornio (cuya boca abierta parece solicitar todas las caricias) el único elemento irreal del cuadro? Es muy posible que los unicornios hayan existido, y quizá, como animales domésticos, compañeros de mujeres. Por lo demás, la gran polémica del siglo XV en Flandes, acerca del unicornio, se refería *sólo* al hecho de si tenía cuatro o cinco patas: nadie puso en duda, en cambio, su existencia.

EL VIAJE, VI: ALGUNOS HOMBRES Y MUJERES QUE EQUIS HA ENCONTRADO EN SUS PEREGRINACIONES

En el barco italiano, que cruzaba el océano, Equis conoció una vez a Joseph L., músico de profesión, que se ganaba la vida tocando el piano en locales nocturnos. Equis le pidió que tocara *El tiempo pasará* (el segundo amor de su vida había sido Ingrid Bergman, pero ella no se enteró), pero Joseph L. le dijo no saber. Entonces, para compensarlo, interpretó al piano *Las hojas muertas*. A Equis le pareció que en realidad no había mucha diferencia entre el pasaje de los años y las hojas muertas, comparación que todo hacía suponer había sido Homero el primero en realizar, e invitó a Joseph L. a beber con él una copa de cognac. En aquel entonces, el músico tenía alrededor de cuarenta y cinco años (una edad incómoda para emigrar, según confesaba), y había sido operado de una úlcera de estómago, que atribuía al hecho de que en los locales donde debía tocar siempre había mucho humo, y aunque él personalmente no fumaba, no tenía más remedio que aspirar el que despedían los demás. Dudaba mucho de poder adaptarse a otro país, a otra ciudad, pero Equis lo consoló diciéndole que los lugares eran como los pianos: había que acostumbrarse a tocarlos suavemente, ensayando unos pocos arpegios al principio, hasta que los lugares hicieran sentir sus mejores notas.

Años después (Equis no podía precisar cuántos; a raíz de sus frecuentes viajes su sentido del tiempo se había perturbado y ora le parecía infinito —un tejido extensible y elástico que se extendía o se acortaba— ora le parecía crispado, ríspido, lleno de puntas y de filos), volvió a encontrar a Joseph L., y Equis supo que ya no tocaba el piano, ahora dirigía un hotel de cinco estrellas, en una isla muy concurrida, fumaba cigarrillos rubios, hablaba varios idiomas e insistió en invitarle a beber un whisky. Al despedirse, Joseph L. le pidió que tarareara o silbara la melodía *El tiempo pasará*, pero Equis la había olvidado, en cambio recordaba perfectamente *Las hojas muertas*.

En el barrio bajo de otra ciudad, al que Equis le gustaba visitar porque estaba lleno de farolitos chinos y de guirnaldas de colores, para atraer a los marineros de los barcos holandeses y filipinos que estacionaban allí, Equis conoció una vez a un hombre gordo y bonachón, con el labio inferior partido a raíz de una bala, que se había enamorado de una muchacha muy joven, soltera y madre de una niña negra. El hombre era dueño de un pequeño bar que atendía él mismo, cuyas paredes estaban llenas de fotografías de caballos y de jockeys de otros tiempos, pues de joven había tenido gran afición por las carreras de caballos. Antes de enamorarse, a las doce de la noche invitaba a irse a los últimos parroquianos, pero desde que la mujer entró, una tarde, al bar (se había sentado frente a una de las mesas redondas, de pie de hierro y superficie de mármol que estaba cerca de la ventana) y mirando a la pequeña, primero, de tersa piel oscura, y luego a él, que asombrado y diligente se acercó a servirla, pidió una Coca-Cola con dos vasos, por favor, el bar no cerraba: lo dejaba abierto toda la noche con la esperanza de que ella y la pequeña, cansadas y somnolientas, volvieran a aparecer. (De todos modos, decía, tengo insomnio, y si ellas regresan, no me gustaría que encontraran el bar cerrado. No hay nada peor que una ciudad nocturna, llena de carteles luminosos brillando en el aire hostil de las casas y los bares cerrados.) La mujer había vuelto, efectivamente, un par de veces, siempre acompañada por su hija negra, y él le había regalado bombones de fresa, una medalla de oro que llevaba desde niño colgada al cuello, todas las monedas antiguas que coleccionaba en una lata de café vacía, y un libro de cuentos. A la mujer no le regaló nada, porque temía ofenderla, pero conversaron sobre temas generales. (Así definió el hombre gordo la conversación, y Equis creyó oportuno preguntarle, sin énfasis, en qué consistían los temas generales. El hombre gordo lo miró sin suspicacia y le contestó: la soledad, la vida, la muerte, el precio del aceite y de la gasolina, los colegios de enseñanza primaria y las enfermedades de los niños.)

Cuando Equis regresó a la ciudad, buscó el bar y lo encontró. Se sintió reconfortado: le hacía daño volver a una ciudad y descubrir que en su ausencia, muchas cosas se habían modificado. Lo experimentaba como una oscura traición, como un agravio. Pero el bar seguía allí, en el mismo lugar, abierto todo el día (hay insomnios que no se curan) y el hombre gordo continuaba atendiendo a los clientes con cordialidad, pero a cierta distancia. Lo reconoció, y Equis esperó un poco, antes de preguntarle por la mujer y por la niña. El dueño del bar carraspeó (dijo que había contraído un leve resfrío la noche anterior, que pasó en vela, detrás del mostrador, haciendo cuentas y limpiando botellas) y luego le contó que la muchacha venía, de vez en cuando, se sentaba frente a la mesa de siempre, pedía una Coca-Cola y dos vasos, se quedaba un rato y conversaban de temas generales. En la historia no había ningún progreso, pero el hombre y Equis coincidieron en que la esencia de algunas historias es precisamente ésa: no modificarse, permanecer, como reductos estables, como faros, como ciudadelas, frente al irresistible deterioro del tiempo.

EL VIAJE, VII: EQUIS Y LOS SUEÑOS

Cuando despierta de malhumor, es que oscuramente sabe que ha tenido una revelación, en el sueño; una clase de revelación tan poderosa e insoportable que ha sido preferible olvidarla. Como todas las revelaciones, las de los sueños se brindan a un hombre o a una mujer ingenuos, incapaces de entenderlas y, especialmente, de ser fieles a ellas. Porque el hombre mientras sueña siempre es un ser ingenuo, poco capaz y falto de discernimiento. Por lo tanto, sólo podrá olvidar esa revelación o ignorarla.

El sentimiento de culpa que nace de esa traición a la enseñanza oculta de los sueños, le provoca malhumor.

Igual que Pedro, el discípulo, que debe llevar a cuestas una revelación tan desproporcionada con respecto a su vida de sencillo pescador hebreo.

Cuando dormimos, todos somos sencillos pescadores, hasta que una iluminación nos coloca en el camino de la sabiduría. Ahí está el sendero, dice el sueño, ésta es la guía. Grandeza a la que renunciamos al despertar, con cualquier pretexto de pesca, deberes de familia, pereza o resignación.

Nos conformamos pensando en Pedro.

A veces, Equis sueña que pesca en un río muy raro. Las aguas son transparentes y se puede contemplar en toda su extensión el tránsito de los peces. Pero además, Equis puede sumergirse en ellas hasta quedar tapado por las aguas, sin necesidad de nadar, sin mojarse, sin ahogarse, como si, en realidad, se tratara de aire. Esta comparación no se le ocurre en el sueño, porque los sueños tienen realidad propia y no las necesitan: sólo en la ambigüedad del día se nos ocurren las comparaciones, para fijar la sinuosa tela de lo real; el sueño tiene tal convicción que hace prescindibles los tropos. (No hay nada menos retórico que un sueño.) Los aparejos de pesca que Equis debe portar en el sueño, también son extravagantes e incómodos. A pesar de todo, en ese sueño experimenta placer. Como las aguas son transparentes e ingrávidas, no sólo divisa la profusión de peces, grandes y pequeños, sino también las conchas, los moluscos, los crustáceos, todos los animales del mar, brillantes, atractivos, y la vegetación. Como se trata de un sueño repetitivo, Equis sabe perfectamente que al final de la playa hay una casa alta, de piedra gris, con un balcón sobre el mar y que los días en que la marea sube le es muy difícil llegar hasta la casa, ya que el camino de acceso está invadido por las aguas, él no sabe nadar y las olas alcanzan grandes dimensiones. Como siempre la pesca se demora en virtud de las dificultades con los aparejos, a la hora de ir a la casa el mar ha crecido y emprende el camino con una sensación inminente de riesgo y de peligro. Inevitablemente, Equis descubre que las aguas han trepado hasta el balcón y las olas lo acorralan contra el muro; no puede regresar, porque el mar, hacia atrás, ha invadido toda la costa; no puede avanzar, porque las aguas no se lo permiten. En el único lugar donde todavía hace pie (un pequeño borde de piedra, contra el muro), las aguas son muy azules, muy densas. En esa situación tan angustiante, siente, además, que le pesan los aparejos y los implementos de pesca, pero no puede desprenderse de ellos, pues están atrapados en una roca.

A pesar de todo, despierta con la sensación de que el paseo y la pesca han sido agradables. Tanto placer le hace sospechar que, en realidad, no se trataba de pesca, sino de otra cosa.

EL VIAJE, VIII: LA NAVE DE LOS LOCOS

En el cuadro, la nave de los locos ha iniciado ya la travesía. A bordo, vense hombres vestidos de gala, con sus trajes de noche perfectamente almidonados, los cuellos duros, guantes blancos y brillantes zapatos de charol. Es posible que esos hombres pensaran en una dichosa celebración a bordo; han subido a la nave ataviados con sus ropas de fiesta y el aire solemne y un poco tieso de las grandes ocasiones. Lejos, en el mar, se divisan algunas luces.

Cuenta la tradición que los barqueros se embarcaban hasta alta mar; una vez llegados allí donde las aguas son más profundas y las corrientes agitan la nave, los marineros, silenciosamente, deslizaban otras embarcaciones al costado, descendían hasta ellas —abandonando a los locos a su destino— y regresaban a tierra. Los orates se daban cuenta a medias de esta maniobra. Si oponían alguna resistencia a la soledad en que quedaban en el mar, era fácil convencerlos de que los tripulantes bajaban por poco tiempo, para reponer los comestibles, buscar agua potable o reparar la embarcación. No se tienen noticias de rebeliones a bordo, sea por la férrea disciplina impuesta, sea porque el movimiento del mar fascinaba hasta tal punto a los orates que se volvían mansos. Artemius Gudröm, uno de los pocos navegantes de esta clase de viajes que guardó memoria de ellos, cuenta la siguiente anécdota: (Artemius era un ingeniero de naves bastante famoso a mediados del siglo XVI. Sin embargo, había contraído numerosas deudas, por su afición al juego, y estando preso, a causa de ello, en una prisión de Renania, y harto de las malas condiciones de vida en reclusión, aceptó cambiar su condena por la de bogar en una de estas naves, bajo nombre supuesto, y al mando de la expedición. Según cuenta en el único libro que dejó escrito —*Ars navegatoris*—, realizó tres viajes en naves de locos, hasta cumplir su condena. Su relato no es muy minucioso, fuera porque no se complacía en rememorar estos episodios, fuera porque estaba más preocupado en los detalles técnicos de la navegación de sus días: hondura y calado de las embarcaciones, tamaño de la quilla, características del velamen, riesgos y tribulaciones de las rutas.)

Habiendo embarcado desde un puerto de Flandes, en 1583, la travesía se desarrollaba en orden, según lo previsto, hasta llegar a los alrededores de Lovaina. La nave albergaba a 36 orates, procedentes, la mayoría, de distintas ciudades de Renania, de los cuales 22 eran hombres, diez mujeres y los cuatro restantes niños, casi adolescentes. Además de ellos, en la nave viajaban el propio Artemius y ocho tripulantes, reclusos de distintas cárceles de Sajonia que habían preferido la condena de navegar con los locos a la cárcel. La comida se había agotado y también el agua, pero Artemius no daba muestras de preocupación: faltaba poco para que llegara el momento de deslizar al costado de la nave la pequeña embarcación en la que él y sus ocho compañeros regresarían, sanos y salvos, a la costa. Sin embargo, uno de los locos, al cual Artemius bautizó con el nombre posiblemente supuesto de Glaucus Torrender, daba muestras de inquietud casi desde el comienzo de la travesía. Observa el propio Artemius que si bien el movimiento del mar (al cual, curiosamente, llama *berceo* y a veces meceo o mecimiento) tenía un poder hipnótico sobre los orates, muchos de los cuales, por contemplarlo con absoluta fijeza, con la cabeza inclinada hacia el agua, estaban a punto de caer y con frecuencia se hundían, sin que nadie diera la voz de alarma ni se molestara en rescatarlos, este fenómeno no se producía en Glaucus Torrender, antes bien, el movimiento del agua le provocaba inquietud. Artemius atribuye esta diferencia al hecho de que Glaucus no era un loco común. Extremadamente inteligente y despierto, agudo, muy observador, Glaucus se había destacado desde el comienzo por su sentido del orden y de la responsabilidad. No sólo se había interesado por la marcha de la navegación, aprendiendo sin ayuda los rudimentos del arte de comandar y dirigir una nave, sino que se había hecho cargo del suministro de víveres, del racionamiento del agua y de la provisión de sal. Asegura Artemius que Glaucus era un admirable administrador y que su ayuda resultó fundamental, dado que los tripulantes que lo acompañaban en este viaje eran gente indisciplinada, borrachos empedernidos y pendencieros. Todo hace suponer que Artemius y Glaucus se hicieron amigos, tan amigos como lo pueden ser, en definitiva, un hombre medio loco que parece cuerdo y un hombre medio cuerdo que parece loco. Por lo que se desprende del relato de Artemius, no conversaba a menudo con Glaucus, y su amistad se desarrollaba en silencio, compartiendo tareas. Aparentemente, cuenta el cronista, Glaucus no caía en raptos de delirio, como el resto de los orates, ni fantaseaba, como los demás, que imaginaban historias diversas y confusas sin adivinar nunca su destino. Acaso el único síntoma de Glaucus era un pernicioso insomnio, que lo hacía velar en la nave cuando todos —a excepción del timonel— dormían. Dice Artemius que Glaucus no durmió una sola noche, no dio muestras de cansancio y tampoco durmió de día. Mientras los demás pasajeros, seducidos por el berceo del mar —según palabras del ingeniero de navegación— entraban en procesos de aguda hipnosis, o en raptos de locura, deliraban creyéndose en otros lugares y mantenían extravagantes conversaciones o soliloquios, Glaucus vigilaba, atento, la derrota de la nave, repartía provisiones, evitaba el robo, atendía la posición de los astros. ¿Sospechaba Glaucus el destino de tan extraña y simbólica navegación? Sea como sea, llegó el día señalado para que la tripulación abandonara el barco y a bordo de una nave más pequeña regresaran a tierra, entregando a los locos, con pocos víveres y agua, a su destino errante en alta mar.

Artemius había previsto la posibilidad de que su compañero favorito de viaje, Glaucus, velara, esa noche, como en las anteriores, y presa de la inquietud que lo agobiaba desde el principio, opusiera alguna resistencia al hecho de que la tripulación abandonara la nave; para tal caso, había guardado una fuerte dosis de un somnífero (preparado con hierbas de la India) capaz de hacer dormir a un caballo. Sin embargo, cuando revisó sus ropas, no encontró el frasco con la pócima salvadora. Tampoco lo encontró en su gabinete. Esto desconcertó a Artemius, que se encontró, así, de improviso, sin el recurso con el que había contado. Asegura que en un rapto de locura propia, pensó en desembarcar a Glaucus junto a la tripulación, pero temió la reacción de sus compañeros, esos reclusos tan poco dóciles y caritativos. Por otro lado, su condena no había terminado, y un episodio como éste podía llevarlo nuevamente a las cárceles que tanto temía.

Llegado el momento del desembarco, Artemius comprobó que todos los locos dormían, como solía suceder a la noche, salvo Glaucus. Éste, aparentemente manso, pero vigilante, aguardaba sentado en un barril, con la mirada fija en cada uno de sus movimientos. Dice Artemius que una amarillenta luna menguante iluminaba el proceloso mar y que las nubes, bajas, a veces la cruzaban como sombras de pájaros que huyen.

La tripulación estaba impaciente y ya habían comenzado las tareas de soltar el bote encargado de conducirlos a tierra. Embarazado, Artemius se acercó a Glaucus, para despedirse de él con alguna explicación que disminuyera su inquietud, y confiado en aquella parte de loco que seguramente había en Glaucus, le explicó que él y el resto de los tripulantes habían decidido llegar en bote hasta la costa más próxima, a fin de aprovisionarse, ya que los víveres y el agua faltaban y que teniendo en cuenta los conocimientos que Glaucus había adquirido durante la travesía, dejaba el mando de la nave en sus manos. Que la condujera suavemente en círculos, para no modificar la trayectoria, y él, junto a sus compañeros, estarían de regreso lo antes posible, cargados de galletas de mar, carne salada, mantequilla y queso. Dice Artemius que Glaucus lo miró terriblemente, con una mirada oscura y melancólica que lo obligó a murmurar la última frase preso de un escalofrío.

No bien terminada su explicación, Artemius fue sobresaltado por un grito espeluznante, al mismo tiempo que sordas imprecaciones e insultos saltaban de la boca de los marineros indignados: el bote izado al agua, no bien tocó la superficie del mar, se fue a pique.

Artemius resume el final de la historia de la siguiente manera: sin embarcación con la cual volver, sin comida, sin agua, se vio obligado a dirigir la nave hasta cerca de la costa, lo cual consiguió luego de varios días de viaje. Pero los locos, hambrientos, daban señales de peligrosa inquietud y la tripulación, exasperada por el accidente, se había vuelto más intolerante aún. Pese a su oposición, varios locos fueron arrojados al mar por los marineros, y Glaucus, observador, no emitía palabra. Llegados a cierta distancia de la costa, Artemius dio orden de que todo el mundo se echara al agua y tratara de ganar la orilla; sabía perfectamente que los locos temían al mar y no lo harían y que si alguno conseguía vencer su temor y se lanzaba, difícilmente ganaría la costa, por falta de experiencia o de tenacidad.

En efecto; fuera porque no entendieron el significado de las palabras, fuera porque estaban sumidos en sus propios sueños, para los cuales no existe el concepto de costa o de orilla, ni siquiera, quizás, el de muerte, los locos no saltaron al agua, a excepción de uno: Glaucus, que saltó detrás de los ocho marineros y de Artemius, y al cual el ingeniero de naves vio naufragar en seguida, a la amarillenta luz lunar, envuelto en blanca espuma. A lo lejos, sin rumbo, bogaba la nave de los locos.

(El anónimo pintor del cuadro ilustra el momento en que la nave, cargada de locos, parte de un puerto de Flandes. En el paseo, cerca de la costa, damas y caballeros se han dado cita, vestidos con sus mejores galas, para contemplar el espectáculo. Hay mujeres con parasoles y hombres con bastones de mango de plata. Las mujeres tienen gestos desenvueltos y los caballeros parecen muy educados. Todos están de pie, conversando o mirando la nave. El pintor ha prestado más atención a esta escena, llena de espectadores, que a la nave en sí, lejana, donde Equis ha buscado en vano los ojos alucinados de Glaucus o el nombre perfil de Artemius.)

Lo que más fastidia a Equis de este tránsito incesante de ciudad en ciudad, es la imposibilidad de tener perro. Piensa que quizá podría tener uno, pero no le gustaría abandonarlo, y además, cuesta muy caro trasladar a un perro de un lugar a otro. Por otra parte, no está muy seguro de que una vida tan incierta fuera del agrado de un perro, animal dócil que ama el hogar y la rutina. Por la misma razón, Equis no puede tener plantas, ni esposa (animal dócil que ama el hogar y la rutina).

EL VIAJE, IX: LA FÁBRICA DE CEMENTO

Vercingetórix desapareció una mañana cruda de agosto, en que el tiempo estaba algo frío, es verdad, él no había tomado ninguna disposición para combatirlo, ni preparar el viaje, porque hay viajes involuntarios que nos sorprenden en medio de nuestra candorosa hipótesis del tiempo y del espacio. Desaparecer deja entonces de ser un acto voluntario y se convierte en una actitud pasiva; *nos desaparecen,* decía Vercingetórix, las pocas veces que se refería al hecho. No tuvo tiempo de preparar el viaje, ni de despedirse de los amigos, ni siquiera de saludar a los vecinos que sigilosamente habían cerrado puertas y ventanas, porque él estaba desapareciendo mientras siete hombres bien armados (dos mascaban chicle) se lo llevaron a la fuerza, cubierto por una manta y con los ojos tapados por esparadrapo. Le hubiera gustado despedirse de la vecina que le lavaba la ropa y del vendedor de diarios de la esquina que le susurraba nombres de caballos en las carreras de los sábados, pero seguramente él ya estaba en otra carrera, y la vecina, asustada, se escondió detrás del ropero, el vendedor de diarios silbó bajito «arácnidos en tu pelo» y miró para otro lado, mientras Vercingetórix era empujado y metido a golpes dentro de un auto azul, sin matrícula, cuya marca era harto conocida en la ciudad (a tal punto que, como si se tratara de un enorme saurio depredador, cuando uno de ellos aparecía, de inmediato las avenidas y las calles se vaciaban: hombres y mujeres huían, las ventanas y las puertas se cerraban y súbitamente no se escuchaba un solo ruido, más que la respiración feroz y amenazadora del saurio aplastando bajo sus patas los escalones, las raíces de los árboles y el pavimento). Mientras le ataban los brazos a la espalda y una larga meada de saurio le empapaba las manos, Vercingetórix lamentó dos cosas: la soledad de su canario azul, a quien nadie iría a dar de comer, porque su modesta habitación de soltero en el patio emparrado se convertiría en una casa tomada, primero, y luego, en la cueva de un apestado, y la función inaugural del circo que había llegado unos días antes, instalando su carpa en un terreno baldío al lado de la vieja estación de trenes, de la época de los ingleses. Vercingetórix se había acercado con curiosidad (*ahora* sabía que un día antes de desaparecer; era muy raro comprobar que hechos que estaban en el futuro databan aquellos otros, en apariencia intrascendentes, que quedaban atrás) a mirar las instalaciones, las jaulas de los tigres y leones, había caminado entre los cables de luz que yacían en el suelo como lagartos cansados, había contemplado las guirnaldas de luces que se alzaban lentamente sobre el cielo como una hilera de pájaros a la espera de comida y compró una entrada, porque no quería perderse la inauguración, con el altavoz anunciando a los dos equilibristas gemelos que realizaban saltos mortales, a la reina de los elefantes, tan pequeña y frágil entre las orejas arrugadas de los paquidermos, al gigante ruso, capaz de sostener, sobre su hombro, una pirámide de quince seres humanos, al mago que transformaba pañuelos en gallinas (sin olvidarse los huevos), a la enana rubia, ágil y fuerte, como una niña, que cantaba, con voz meliflua y acompasada, viejas canciones infantiles, mientras danzaba sobre la cabeza de un mono.

El circo había llegado a la ciudad, «luego de una gira triunfal por África, China, Japón, Oslo y Río de Janeiro», según rezaba el cartel, y a Vercingetórix le pareció que los animales estaban cansados, que las guirnaldas de luces eran escasas, que la carpa estaba gastada y que la mañana en que llegaron, gris y llena de viento, no les era muy propicia. Después vio a un par de hombres disfrazados (uno de chino, otro de predicador) que anunciaban la función del circo por la calle principal de la ciudad y lanzaban serpentinas de lado a lado, mientras hacían sonar una gran bocina.

Vercingetórix no llegó a ver la función inaugural del circo, ni vio las siguientes, porque a la mañana del otro día desapareció, metido a golpes en la parte posterior de un auto sin matrícula, pero de una marca a cuyo paso la ciudad se vaciaba, presa del pánico. Pensó en el canario azul, que posiblemente moriría de hambre, y después pensó en la enana rubia, ágil y firme, como una niña, que cantaba, con una voz meliflua y acompasada, viejas canciones infantiles, mientras danzaba sobre la cabeza de un mono.

La había visto, la tarde anterior, mientras subida a la mesa de un café vecino al circo, protestaba porque el té no estaba bien caliente y el pedazo de pastel tenía sabor agrio. Sus cortas y delicadas piernas enfundadas en medias de punto blancas golpeaban con furor la mesa, y el camarero, divertido por el ataque de irritación de la enana, no retiró el té ni se llevó al pastel, en un acto de provocación que enfureció más a la mujercita. Tenía una estrella de plata en los cabellos rubios y sus mejillas estaban encendidas por la irritación y por el colorete; llevaba un vestido blanco, de gasa, que a Vercingetórix le hacía recordar al de una muñeca y sandalias rosadas, de bailarina, extraordinariamente pequeñas. A Vercingetórix le pareció curioso que una mujer de tan corta estatura pudiera albergar una cólera tan grande, y también le pareció curioso que el trozo de pastel, con nata y fresas, fuera mayor que el pie de la enana. Le molestó que el camarero se riera de la mujer, aumentando su cólera, y que no atendiera su reclamación, de modo que intervino, con tan poca fortuna que la enana cambió rápidamente de posición sobre la mesa, volvió la cabeza hacia él y le dijo, ásperamente:

—Éste es asunto mío. Sé perfectamente defenderme sola.

Después de lo cual, la enana se puso a golpear la mesa con el tenedor y el cuchillo, que parecían enormemente grandes en sus diminutas manos, escupió en el suelo y arrojó deliberadamente el contenido del vaso sobre la mesa, con un gesto de desafío que tuvo la virtud de congelar la risa del camarero. Sorprendido, se acercó a la mesa, para limpiarla, momento que ella aprovechó para intentar arañarlo con sus pequeñas manitas, provistas, sin embargo, de afiladas uñas, como los niños.

Mientras el auto se deslizaba a gran velocidad por las calles de una ciudad que quedaba súbitamente vacía como bajo una alarma nuclear y los escasos transeúntes corrían a guarecerse debajo de los portales o detrás de las esquinas, Vercingetórix pensó en la enana y en la función de circo que ya no podría ver.

Los dos años siguientes (si es que todavía tenía algún sentido computar el tiempo con los relojes normales; a él le parecieron diez, y uno que agonizó cerca suyo creía que eran veinte) los pasó en un campo de desaparecidos, lejos de la ciudad, en un lugar apartado, entre una montaña de piedra lisa, sin vegetación, y una fábrica de cemento que cubría de polvo la barraca donde vivían y los escasos árboles de los alrededores.

Era un pueblo extraño, como de fantasmas; aislado de cualquier camino o vía de acceso, estaba teñido por el color verdoso del polvo de cemento que impregnaba todas las cosas. Las grandes tuberías, las plataformas, las máquinas que giraban y las calderas que se elevaban en la soledad amarilla del lugar eran como muñecos empolvados y artríticos, sin movimiento, chatarra enmohecida de una civilización apocalíptica. Vercingetórix no sabía si la fábrica de cemento existía antes de que ellos llegaran, o fue construida después, cuando los primeros desaparecidos ya habían sido desplazados allí. Si existía, posiblemente había dejado de funcionar, y volvió a hacerlo cuando ellos llegaron. Nadie conocía la existencia de la fábrica de cemento que volvía cenicientos y esperpénticos los árboles del lugar, que cubría de polvo amarillo las ropas, los ojos, que tapaba las montañas como si fueran de cartón. Nadie conocía, tampoco, la existencia de los desaparecidos, en ese lugar, atrapados entre el polvo del olvido y el polvo de la muerte, como una legión de hormigas que trabaja en las cañerías mientras la ciudad, ajena, duerme.

La fábrica de cemento era un lugar de paso: los desaparecidos permanecían unas semanas, un par de meses allí, pero luego eran trasladados, otra vez, y Vercingetórix sabía que este viaje era el último, el definitivo, y que no eran sacados para ser devueltos a la ciudad (al canario azul, a la enana rubia del circo), sino para ser lanzados, desde un avión, al fondo del mar («en una acepción que Valéry no imaginó» —pensó Equis), o terminar en una fosa común, oculta, en algún improvisado cementerio suburbano. Y le parecía que el comienzo de la muerte estaba allí, en las oleadas de polvo de cemento que los cubría, como si ya fueran estatuas, como si ya fueran cadáveres; un polvo que era inútil sacudirse de los ojos, de la nariz, de la boca, y que los iba tiñendo de verde y de amarillo hasta uniformarlos, hasta ser, al poco tiempo, un grupo de fantasmas todos iguales, que escupían sangre y polvo, que vomitaban bilis y polvo, que se rompían bajo los golpes y sus huesos tenían el color del cemento. A Vercingetórix le parecía muy raro que mientras ese grupo de fantasmas se iba cubriendo de polvo en ese lugar, era reducido a verdes esqueletos al pie de la montaña, la vida, afuera, continuara. «Hemos desaparecido —pensaba— y hoy habrá función de circo, los gemelos harán sus saltos mortales, lejos de la fábrica de cemento, los tigres atravesarán el aro encendido, la enana bailará sobre la cabeza del mono, los niños irán a la escuela, las mujeres parirán y los diarios analizarán minuciosamente el gol de la estrella nacional, el delantero número diez, al cual llamarán, otra vez, "el mago del balón". Perfectamente ignorantes de esta cosa, de este pueblo fantasma y sus árboles raquíticos y grises, ignorantes de esta extraña población que se desfleca entre toses, hemorragias, electrodos y parálisis.»

A veces, mientras realizaba las tareas que le habían asignado, Vercingetórix sentía en su cuerpo de fortachón, en sus músculos todavía ágiles, a pesar de que el polvo ya se le estaba metiendo por la piel y aposentando en los tejidos, sentía en su conciencia, todavía despierta, la existencia de dos mundos perfectamente paralelos, distantes y desconocidos entre sí, dos mundos que existían con independencia y autonomía, dos mundos que se bastaban a sí mismos y que podían funcionar sin tener ningún contacto, como dos esferas girando eternamente en el silencio azul del espacio. Había, sin duda, gente que iba al cine, en ese momento, mientras él acarreaba una gran piedra de un lugar a otro, bajo la orden del soldado, sólo para que el mismo soldado, un instante después (Vercingetórix estaba ciego por el polvo de cemento y tenía las pestañas amarillas y los labios cortados y secos) le dijera que tenía que volverla a su lugar original.[1] Había gente que iba al cine, y otros a las fábricas, y las mujeres preparaban la comida o leían y las oficinas tenían relojes y oficinistas, y sin embargo, hombres y mujeres desaparecían, un día, de la ciudad, en la casa vacía quedaba el perro rumiando su soledad o la hornalla encendida con la leche del desayuno, mientras el polvo de cemento los iba ahogando, los debilitaba, los aturdía. («Como en el cuadro de Brueghel», comentó Equis. La ciudad era un enorme torre, de varias plantas, ignorantes entre sí; en cada una de ellas la vida se desarrollaba con independencia y no existía la sospecha de las otras. Cada planta tenía sus horarios, su rutina, sus leyes y su código, incomunicable, paralelo y secreto —en la inferior, para la tortura, la violación o la muerte; en la de arriba, para las funciones de cine, los partidos de fútbol y el colegio—.) Vercingetórix pensó que para no volverse loco, era mejor olvidar que existían ambas plantas, olvidar la lengua común, aceptar Babel.

Vercingetórix sobrevivió gracias a sus grandes dotes de cocinero, que los guardias del campo supieron apreciar, y gracias a sus extraordinarios pulmones, que se llenaron de arena pero resistieron dos años, como una malla de acero que filtraba el verdín.

Dos años después, cuando fue liberado, junto a los escasos y agónicos sobrevivientes, había cumplido la edad de Jesús al ser sacrificado, pero aparentaba mucho más, porque las condiciones de vida en ese lugar no eran favorables para el cutis.

Lo primero que hizo Vercingetórix cuando lo liberaron, fue ir al campo baldío donde solía instalarse la carpa del circo: quería ver a la enana y su estrella en la cabeza. Muchas cosas habían cambiado en la ciudad en esos dos años en que él había desaparecido, y le dijeron que el circo estaba de gira por América del Norte y que esta vez, no vendrían. Vercingetórix les escribió una postal y la mandó a una ciudad importante, donde suponía que iban a actuar; pero estaba cansado de las cosas que aparecían y desaparecían sin control, y ya no se sentía a gusto en la ciudad. De noche, recordaba la fábrica de cemento, y pensaba que del mismo modo que él había vivido en un pueblo fantasma, alejado del mundo, donde camiones de prisioneros llegaban y se iban con su carga esperpéntica cubierta de polvo verde, era posible que en ese mismo momento, mientras él fumaba tendido en el lecho recordando una fábrica amarilla que los iba matando de a poco, en otro lugar, no muy lejos de su cama estrecha y su jaula con un canario verde (el azul había muerto de inanición, tal como supuso) hubiera otro campo, otro infierno, separado del mundo, con su pueblo de fantasmas que morían violentamente y no dejaban rastros, porque eran lanzados al mar o enterrados en fosas comunes, sin nombre, sin memoria. Y esta sospecha, no lo dejaba vivir.

Un día, se enteró de que la compañía de circo que él no había podido ver había llegado a Bahía Blanca, lugar donde él había estado, de niño, una vez que acompañó a su padre en un viaje de negocios, y le pareció una buena oportunidad para huir. Estaba seguro de que si se quedaba, lo iban a ir a buscar otra vez, con cualquier pretexto, para llenarle los pulmones de hierro o de cemento, y si no era a él, iba a ser a cualquier otro, mientras la vida, en apariencia, continuaba su ritmo y se comía en los restaurantes o se iba al cine, se celebraba un cumpleaños o se bautizaba a un niño, las escuelas estaban abiertas y los generales, solemnes, anacrónicos como muñecos a cuerda, realizaban pomposos discursos, bajo la luz de los reflectores y las banderas de la patria.

1. Vercingetórix observó que los oficiales y soldados tenían no sólo predisposición a la violencia, sino también a la poesía y al relato; muchas veces los sobrevivientes recibían la orden de reunirse en el patio, y el comandante —con la voz turbada por la emoción y los ojos centelleantes— les leía sus poemas, escritos en la

soledad del campo cubierto de polvo de cemento. El aplauso era obligatorio y había sanciones y castigos para aquellos que aplaudieran sin entusiasmo suficiente o de manera poco sincera. Los poemas versaban sobre el amor a la patria, la belleza de la bandera, el honor de las Fuerzas Armadas, la encarnizada lucha contra los Oscuros Enemigos, el sol, el apostolado militar, las buenas costumbres y el espíritu cristiano.

Una extraordinaria novedad fue introducida por el comandante cuando exigió que los prisioneros que poseían estudios universitarios (y había varios), tomaran la palabra, luego de la emocionada lectura, para exaltar las virtudes del texto. El comandante y los oficiales se emocionaban tanto al escuchar el análisis y la descripción de la belleza de sus poemas que con frecuencia se echaban a llorar. La afición se extendió tanto que las Fuerzas Armadas crearon, al poco tiempo, una pequeña editorial destinada a publicar los poemas de los esforzados servidores del orden. Como nadie compraba los libros, obligaron a los diarios del país a publicar, en los suplementos del domingo, selecciones de poesía militar, con lo cual la venta de periódicos disminuyó sensiblemente.

A veces, recordaba Vercingetórix, se trataba de textos corales, a modo de cantatas, que exigían la participación de los prisioneros. Así, tuvieron que aprender de memoria un poema del teniente Miguel Echanis, oficial instructor del campo, que decía:

«—¿Qué son ustedes?»
«—Prisioneros» (contestaba el coro).
«—¿Qué hacen los prisioneros?»
«—Obedecer.»
«—¿Qué somos nosotros?»
«—Soldados.»
«—¿Qué hacen los soldados?»
«—Matar.»
«—¿A quiénes mata el soldado?»
«—A los enemigos de la patria.»

En el turno de alabanzas al texto, el profesor Julio Castro (cuya blanca y venerada cabellera estaba llena de piojos) exaltó la simetría del poema; otro prisionero, músico, especificó que dicha simetría era el recurso bíblico del paralelismo sinonímico; una maestra alabó el sentido lírico (herencia de las más nobles sagas germánicas, según una rubia estudiante de filosofía) y la armonía del conjunto. Desde entonces, se estableció la costumbre de repetirlo una vez al día.

Vercingetórix señala que a la entrada del campo, había un cartel, en grandes caracteres de imprenta: CUERPO SANO EN MENTE SANA. El polvo amarillo de la fábrica de cemento cubría los escasos árboles, la plataforma de madera donde eran atados los prisioneros, la base de la montaña y tapaba las letras del cartel. Una desaparecida estaba encargada de limpiarlo. Como el polvo se extendía rápidamente y era imposible detenerlo, la desaparecida no podía moverse de allí, porque las letras eran continuamente tapadas por el polvo.

EL VIAJE, X: LA VIDA EN LAS CIUDADES

Equis está sentado en un banco, cerca de la plaza, frente a la catedral. Vercingetórix, en cambio, está de pie, contemplando la fachada, algo excesiva en su formas, para su gusto. No tienen nada que hacer, como corresponde a dos hombres relativamente jóvenes, extranjeros (aunque no turistas) y sin dinero. Equis aprovecha una hoja de diario que vuela por los aires, la recoge y se dedica a leerla, mientras fuma. Hay niños y niñas jugando, autobuses llenos de turistas que descienden junto a la catedral, vendedores de refrescos, de manzanas acarameladas y de postales. Vercingetórix es tan alto y tan robusto que la ropa siempre parece quedarle un poco corta, un poco angosta, como los muñecos que se colocan en el campo, para ahuyentar a los pájaros.

Es una mañana tibia y Vercingetórix está contento de contemplar a los niños en la plaza, especialmente a las niñas, por las que se siente irremediablemente atraído. Está de pie frente a la catedral, con sus cortos cabellos rojos empinados, en la cresta de la cabeza, y sus calcetines blancos bien visibles bajo los pantalones que no llegan a cubrirle más que los tobillos, esperando, quizá, que un golpe de viento atraiga hasta su lugar el aro de una niña, o un balón perdido, oportunidad que no desaprovechará para entablar conversación con ella. Desde que salió del campo y desapareció por sus propios medios, son las conversaciones que prefiere: con niñas, o con enanas.

Equis se siente más inclinado, en cambio, a conversar con los ancianos, de uno o de otro sexo, y les pregunta muy cordialmente por su salud, la jubilación y los nietos.

Una niña, vestida de blanco, retrocede alborotadamente y sin querer, tropieza con las enormes piernas de Vercingetórix. Primero, sólo ve un trozo de tela gris, gastada pero limpia; entonces eleva la cabeza lentamente, recorre el largo trecho que separa las piernas de Vercingetórix de su cabeza, y se lo queda mirando atentamente.

—¡Hola! —saluda Vercingetórix, cordial.

Ella lo contempla, meditativa. Él se siente minuciosamente analizado. La mirada, inmisericorde, recorre las pecas de la frente, los pozos azules de la viruela, las hebras rojizas del bigote, los pelos de la nariz y las estrías de los ojos azules. Vercingetórix tiembla un poco, bajo aquella observación rigurosa, pero sabe que es necesaria: un niño o un gato no entregan su confianza sin ese examen. Sólo desea, ardientemente, ser aprobado.

Equis inclina la cabeza contra el respaldo del banco, dispuesto a cerrar los ojos y dejar que la tibia luz del sol lo amodorre.

«¿Mereceré su aprobación?», se pregunta Vercingetórix, preocupado. ¿Por qué se siente desnudo, delante de las niñas?

Equis es sorprendido, mientras cabecea, por un empleado municipal, de uniforme, que lo sacude mientras le tiende un billete. Equis abre lentamente los ojos (no hay cosa que deteste más que ser sorprendido a punto de dormirse) y lo mira con curiosidad. Pájaros se esconden en los árboles, cruza una rata, veloz, el centro de la plaza, rumbo a un agujero en la alcantarilla, niños chillan. Equis mira sin entender el pequeño trozo de papel en la mano del guardia.

—¡Hola! —saluda por fin la niña, y Vercingetórix se siente aliviado: ha salvado la prueba. Enseguida, la niña le toca la rodilla, para saber si es de verdad. Le parece un hombre tan alto que no está convencida de que sea todo él; sospecha que hay partes de otros, tramos de madera, cosas así.

—¡Soy todo uno! —exclama Vercingetórix, que ha comprendido la intención.

El empleado municipal continúa impávido frente a Equis, alargándole un billete. Como éste no entiende, le explica, por fin, que debe pagar por estar sentado en un banco público, frente a la catedral. Equis se indigna. Vercingetórix está agachado, en el suelo, atándole el cordón del zapato a la niña. Las palomas se arremolinan alrededor, porque la niña está comiendo un trozo de pan y las migajas se esparcen por el suelo. Equis no quiere pagar: sostiene que es extranjero, no conoce las costumbres del país y le gustaría discutirlas. Vercingetórix le ha comprado un cucurucho de maníes a la niña y ha empezado a contarle una larguísima historia de barcos a la deriva.

La negativa de Equis a pagar o a irse ha suscitado la ira del empleado de la municipalidad que ahora pretende expulsarlo por la fuerza. Vercingetórix escucha el bullicio y se acerca, de la mano de la niña; hay otras personas que los rodean y hacen comentarios. Se escuchan frases como: «Hay que ver», «Adónde hemos llegado», «Ya no hay orden», etc., que forman parte del profundo saber popular. La multitud ha tomado partido a favor del guardia, que lo único que pretende es cumplir su deber, y en contra de Equis, que no sólo es extranjero, sino que pretende sentarse en un banco público sin pagar. Vercingetórix se abre paso propinando un codazo aquí, otro allá (ha abandonado a la niña, a su pesar, junto a un surtidor de agua, prometiéndole regresar en seguida) y finalmente rescata a Equis del tumulto, en el exacto momento en que hablando una lengua mestiza, como cada vez que se irrita, estaba a punto de lanzar un amplio discurso acerca de las libertades, el individualismo, los derechos humanos y la noción de autoridad.

—Vámonos —le ordena Vercingetórix, en lengua materna, y lo arrastra de un brazo.

—Sólo pretendía instruirlos un poco —se justifica Equis, que se siente alzado en vilo.

Una viejecita de escasos cabellos blancos los ha seguido (Vercingetórix busca con la mirada a la niña que debía estar aguardándolo junto al árbol y comprueba, desolado, que no está) y se apresura a alcanzarlos. Mirando atentamente a Equis, y con una sonrisa llena de picardía, le dice:

—A mí me parece que también el agua, la luz, los autobuses y los cines deberían ser gratis.

En el centro del tapiz se encuentra el Pantocrátor o Creador bendiciendo, con el libro abierto; hacia el fondo pueden leerse las palabras Rex Fortis y alrededor de la figura hay un círculo con esta inscripción: Dixit Quoque Deus Fiat Lux Et Facta Est Lux (Dijo asimismo Dios: Hágase la Luz y la Luz se hizo).

EL VIAJE, XI: LAS COSTUMBRES DE EQUIS

A veces, Equis lee en el autobús sólo para provocar. Elige un libro más bien grande, y un autobús más bien lleno. Una vez que ha conseguido ascender, coloca el libro sobre la espalda del viajero más próximo, como sobre un atril, y vuelve las páginas sin importarle clavar su codo en el esternón del pasajero de al lado, cuya melancólica mirada de buey rumbo al matadero sólo se anima cuando una de sus costillas está a punto de romperse. Casi siempre se inicia una pequeña discusión en torno a Equis, quien se niega a cerrar el libro y los pasajeros que bien están interesados en continuar la lectura por encima de su hombro o a tirar el libro por la ventanilla, en el supuesto favorable de que el autobús tenga alguna ventanilla abierta, porque como ha observado Equis, la costumbre de vivir hacinados hace que en cuanto pueden, no ventilen.

A este sistema de lectura a la fuerza, Equis lo llama su plan particular de alfabetización. Según él mismo confiesa, no es un sistema muy ortodoxo. En épocas especialmente difíciles (cuando por ejemplo hay una serie de televisión muy exitosa que además se vende en fascículos o cuando el gobierno establece una censura muy rigurosa sobre los libros interesantes), Equis no tiene escrúpulos en emplear, para su campaña de alfabetización, libros pornográficos, que siempre despiertan el interés de los escolares que viajan en el autobús, de los hombres casados y de las mujeres que no leen porque no viajan. De inmediato aprovecha para recomendar, muy seriamente, otros libros pornográficos, entre los cuales se encuentran las novelas de Salinger, los cuentos de Cortázar y las obras de Foucault.

En épocas de clandestinidad, no vacila en llevar en el bolsillo unas hojas impresas que desliza en las manos del lector que está aprovechando la página 51 de *Tristram Shandy*, de Sterne, y que contienen una cuidadosa selección de libros que hay que leer.

Una vez, mientras viajaba del cementerio al puerto, en un autobús de largo recorrido, llevando ostensiblemente abierto *Ada, o el Ardor*, de Nabokov, cuya lectura era prolijamente seguida por una anciana, que iba a su lado (Equis se cuidaba de demorar el cambio de páginas, sospechando de la vista de la buena mujer) ésta le dijo, en secreto, como se confían las terribles intimidades a un amigo:

—Cuando era joven, yo también fui anarquista.

Criptográficamente, Equis, le contestó:

—El placer es el deseo.

De los diarios

Una joven que había llegado cinco días antes a Nueva York, procedente de un pequeño pueblo del Middle West, sin amigos, parientes o conocidos en la ciudad, se paseó durante ocho horas por las calles con un cartel que decía:

«Me siento muy sola. Por favor, hable usted conmigo.»

Autos pasaban, transeúntes apresurados, las alcantarillas de los metros lanzaban su bocanada de gas hirviente, los escaparates estaban iluminados, anochecía. A Kate le dolían los pies de caminar y Nueva York es la ciudad con más alto índice de neuróticos del mundo. Equis fue al médico porque se sentía deprimido. «¿Qué le pasa?» —le preguntó el médico (era un médico barato, por lo cual sólo podía disponer de cuatro minutos y medio para cada paciente. Pero en cambio, estaba seguro de que a los enfermos se los podía conformar con tres o cuatro recetas. La medicina también es una burocracia. «Estoy deprimido» —murmuró Equis, en voz baja. El médico lo miró con sorpresa. Habían transcurrido dos minutos. «Vaya, por Dios», contestó el médico— «yo también estoy deprimido. ¿Eso es todo?»

De los bares salía un vaho caliente, mezclado con olor a salsa de tomate y a frituras. En algunas verjas había plantas artificiales. Grandes carteles en los cines. Luces verdes y rojas de mercurio. La gente pasaba velozmente por su lado; miraban con curiosidad o no miraban el letrero que decía: «Me siento muy sola. Por favor, hable usted conmigo». Una propuesta intimidante. Los semáforos en rojo detenían a los autos al unísono, cuyo ronroneo, sin embargo, no cesaba. Míralos ahí, todos en fila, con sus trompas brillantes y relucientes enfocadas hacia adelante, esperando, como los caballos en la pista, la orden de largar. Rápidamente cambia la luz y al unísono, también, con un relincho más sonoro, parten velozmente, cada uno por su recta, ávidamente, ¡soltaron! Los transeúntes, bien educados, instruidos en las normas de tránsito, esperan, controlando su ansiedad, en la franja blanca que rodea al semáforo. Inquietos, como los caballos antes de partir. «Tómese un whisky doble a la noche y relájese.» «Pero doctor, tengo una sensación aquí.» Del lado del estómago, una protesta, un animalito atrapado. «Pero, ¿qué quiere que haga yo?» insiste el médico, controlando su reloj. Cuatro minutos.

De noche las luces tienen algo agónico, a pesar del brillo y de los colores. Hay oscuridad en el fondo de los jardines y de algunas casas. De los bares sale una música diversa, ahogada por los sonidos metálicos de los *bumpers*. Las brillantes bolas plateadas recorren un trecho, golpean una diana, se enciende una pequeña luz roja, ahora hay que bajar al rey rojo de corazón, apuntar bien y tumbarlo. «Mejor que el whisky, el *bumper*», reflexiona Equis, si no fuera que sólo juegan los que pierden; Kate se pasea desolada, hay colas enteras de automóviles frente a las gasolineras, las latas vacías de cerveza importada ruedan, «Deposite aquí los papeles», pero la bola disparada con excesiva fuerza pasa al lado del rey rojo de corazón sin rozarlo y se hunde irremisiblemente en el hoyo, en el pozo central donde las pequeñas aletas del *bumper* no pueden detenerla y de cualquier manera esta partida ya fue perdida.

El diario dice que Kate se suicidó a las doce de la noche, en un banco de la plaza, ingiriendo una fuerte dosis de barbitúricos. Equis serena su inquieto animal en el estómago aplicándose un whisky doble, no sin antes decirle: «Emborráchate, condenado».

Alrededor del círculo que rodea la figura del Pantocrátor o Creador bendiciendo, hay otro círculo, más grande, que ocupa el centro del tapiz (del cual se conservan sólo tres metros sesenta y cinco, de los seis del original). Este círculo mayor está dividido a su vez en ocho segmentos, no iguales, que representan distintos aspectos de la Creación. En el primero de ellos, que se encuentra por encima de la cabeza del Pantocrátor, el espíritu de Dios, simbolizado por una paloma, incuba sobre las aguas, bajo la leyenda: Spiritus Dei ferebatur super aguas (El espíritu de Dios se cernía sobre las aguas).

La paloma, aureolada, tiene unas espléndidas alas torneadas y las aguas, sobre las cuales incuba, son de color verde.

Hacia la izquierda de la figura anterior, de la paloma de alas torneadas que incuba sobre las aguas, en otro segmento del círculo que rodea la imagen del Pantocrátor ordenando a la luz que exista, se encuentra representado un ángel, con sendas alas sobre los hombros, largos vestidos y una mano sobre el pecho. El ángel levita sobre un campo verde de juncos y bambúes florecidos.

¿Sabía, el anónimo tejedor del tapiz —si acaso fue uno solo— que los bambúes florecen una vez cada cien años, de modo que es prácticamente imposible que lo hagan dos veces durante la vida de alguien?

El ángel representado en ese segmento del tapiz es el ángel de las tinieblas. En la mano izquierda sostiene una antorcha. Inscrita sobre el fondo ocre del tejido, (descolorido por el tiempo), se lee una frase: Tenebre erant super faciem abissi: Las tinieblas cubrían la superficie del abismo.

EL VIAJE, XII: EL ÁNGEL CAÍDO

Cuando Equis está borracho —cosa que no le sucede a menudo: el alcohol le hace mal al hígado— le ocurren cosas maravillosas. A Equis la bebida lo pone tierno, sentimental y como la paloma que vuela sobre las aguas, en ese estado incuba líricos amores por seres que no conoce y contempla de lejos, como el marino que con sus prismáticos ve aves que nadie puede ver.

En una de sus travesías, Equis llegó a una isla, en M., llena de vegetación tropical, caminos de piedra, grandes caracoles colgados de techos improvisados con ramas, en cuyas cavidades crecen plantas y riscos empinados que descienden hasta un mar muy verde y transparente, con el fondo de piedras y de guijarros. El aire del lugar, lleno de perfume de las camelias, madreselvas y de los árboles frutales —había abundancia de nísperos, damascos, naranjos, limoneros y durazneros— embriagó al principio a Equis que, venido del asfalto, experimentó una debilidad de los sentidos parecida a la somnolencia, a ese estado posterior al orgasmo que Ovidio —escéptico— llamó melancolía. El pueblo al que llegó Equis tenía un nombre místico —Pueblo de Dios—, debido, según pudo averiguar en un libro de memorias (leído por azar años atrás, antes de saber, por supuesto, que un día, vagabundo y desprovisto de planes llegaría a la isla, como el viajero que parte con rumbo preciso y una tormenta lo arroja a tierras que no conoce) a que en la Edad Media fue morada y residencia de un hombre místico —antiguo cortesano seductor y disoluto— el cual se dedicó a alabar en sus libros a Dios, en diversas lenguas, al mismo tiempo que estudiaba la flora del lugar y descubría la destilación del cognac, invención maravillosa que lo aproximó mucho más a Dios y a la cirrosis; bebida cuyos efluvios confundió ingenuamente con la piedra filosofal. (Cuenta la tradición que aquel caballero gentil, amado de los reyes, trovador favorito de las damas, mundano e ingenioso, asediaba, desde hacía tiempo, a una mujer. Cierta mañana la siguió, a caballo, hasta el atrio de una iglesia, famosa por sus sepulcros de alabastro. La dama había penetrado en el recinto, sin volver los ojos. El caballero la siguió, dispuesto a hablar con ella. Entonces ella se volvió, de improviso, y descubrió su pecho, roído por el cáncer. El caballero, conmovido por la revelación, abandonó sus hábitos mundanos, las cacerías en las cuales brillaba y destacaba y se dedicó al estudio y al amor a Dios, destilando cognac, en sus ratos libres.)

Equis se detuvo a descansar en una pequeña terraza del pueblo, bajo un techo de parra cuyos frutos todavía no estaban maduros pero de todos modos impregnaban el aire con su olor; había mesas y asientos de mimbre y se podía beber cerveza o un refresco. Del emparrado colgaban grandes conchas marinas recogidas otrora en la costa —antes de que el tráfico y la contaminación redujeran la fauna de océanos y mares— y cascos de botellas que filtraban la resplandeciente luz del sol. Un enorme loro verde parloteaba desde su jaula, mezclando en su conversación diversas lenguas, lo cual no extrañó a Equis, cuyo discurso, frecuentemente, era una combinación de sonidos codificados en diferentes idiomas. Algunos perros iban y venían entre las mesas; un pequeño y vivaracho cachorro se acercó a Equis y lo saludó con visibles muestras de contento. Equis le quedó muy agradecido; en sus numerosos viajes había llegado a países y ciudades diversas, pero nadie nunca lo había salido a recibir, ni sonrió de satisfacción al extranjero.

Mareado por el perfume, los recuerdos de Ramón Llull, el teólogo y sabio destilador de cognac que alababa a Dios en distintos idiomas, Equis se sentó bajo el emparrado de uvas no maduras todavía (el perro se echó a su lado) y miró con satisfacción el muro de piedras desiguales entre cuyos resquicios nacían plantas. Pidió un cognac doble —en homenaje al místico que en medio de sus apostólicas correrías fue capaz de escribir un *Ars Navegandi* y una teoría de las mareas —*¿Por qué el mar de Inglaterra fluye y refluye?*— donde se sostiene que la tierra es esférica— y respiró hondo, agradablemente acariciado por la tibia luz del sol. Bajo el emparrado vio a diversos turistas que lucían ropas frescas y livianas, como correspondía a la estación. Sus ojos se detuvieron en la figura de una vieja dama sentada, sola, que bebía una discreta taza de té. Embriagado por el perfume maduro de los damascos caídos que regaban el suelo, por el murmullo del agua de un torrente que corría no lejos de ahí, entre musgos y arbustos de mora y por la segunda copa de cognac, Equis le dirigió una espléndida sonrisa, una sonrisa embelesada que era una bendición por la alegría de su presencia.

Era una vieja dama rubia y gruesa, de tez muy blanca, labios delgados y ojos claros, pequeños, rodeados por pestañas largas y sedosas. A pesar de la edad, de los años que habían acumulado grasa a ambos lados del cuerpo, dándole esa apariencia compacta, rotunda, Equis adivinó la tibieza de esa gordura, el blanco extraordinario de la piel, la contenida flaccidez de una carne que lentamente se iba desmoronando, y la amó.

Lo que más maravillaba a Equis de la dama era el rostro de querubín envejecido, de ángel que ha engordado entre los placeres de la gracia. Mucho más que la cuestión del sexo de los ángeles —al respecto del cual no tenía ninguna duda: había ángeles varones, con su pequeño miembro entre las piernas y los huevos rollizos, aún no desarrollados, y había ángelas niñas, con su delicada incisión apenas más oscura que el resto de la piel— a Equis le interesaba el problema de la edad de los ángeles. Por una extraña perversión, durante siglos los pintores y teólogos parecieron creer que sólo las criaturas imberbes y de sexo masculino podían adquirir la calidad de ángeles; Equis estaba convencido, en cambio, de que los impúberes eran ángeles caídos, como los damascos; los verdaderos ángeles tenían más edad, chocheaban a veces, sus miembros temblaban por la vejez y a veces eran ángeles o ángelas calvas.

En cuanto a la vieja dama de rostro inmaculado, Equis admiró sus mejillas, gruesas y que empezaban a flaquear, los labios finísimos, casi perdidos entre las comisuras acentuadas por dos arrugas incrustadas en la carne, los cabellos abundantes y delicadamente platinados, las manos blanquísimas y tersas que asían con inmensa suavidad la discreta taza de té.

La vieja dama estaba sola, sentada contra la pared de piedras desiguales, donde crecían menudas hierbas, sonriendo complaciente cuando los niños, semidesnudos y borrachos por el sol, pasaban a ráfagas a su lado, volteando sillas. Asía con delicadeza la taza de té, elevaba apenas la cabeza y sonreía a la beatitud del aire, a la fragancia de los árboles, a la dicha de estar ahí. Tenía un vestido verde seco que encantaba a Equis porque dejaba asomar, bajo la corta manga, sus gruesos brazos blancos. Su rostro expresaba tal serenidad y placidez que Equis confirmó enseguida que en efecto estaba frente a uno de esos ángeles de edad madura que los teólogos y pintores ignoraron. Al tercer cognac, Equis, cuyo hígado ofrecía muy poca resistencia al alcohol, ya recordaba perfectamente los versos de los poetas del dolce stil novo —detalle que lo distinguía de los demás exiliados, incapaces de recordar más que poemas y canciones folclóricos, es decir, detestables—

Voi, che per li occhi mi passaste al core
e destaste la mente che dormia
guardate a l'angosciosa vita mia
che sospirando la distrugge Amore,

y las admirables calles de Verona por donde Dante se paseaba —antes de ser desterrado—, tan enamorado de Beatriz como de Guido Guinizelli.

En el preciso momento en que Equis iba a dirigirse a la dama, citando a Cavalcanti, ella, muy correctamente, lo interpeló, en un español defectuoso que a él, de todos modos, le pareció completamente encantador. Ella quería saber algo acerca de un horario de trenes y Equis se levantó diligente a averiguar, y cuando regresó, con la información precisa, más un ramo de flores que cortó apresuradamente del lugar, le pidió, respetuosamente, permiso para sentarse a su lado. Ella le sonrió y Equis pensó venturosamente que por lo menos le llevaba treinta y cinco años, es decir que cuando él tuvo —sí: una vez tuvo— quince años, ella ya tenía cincuenta. Ahora debería tener por lo menos sesenta y ocho. La dama aceptó muy delicadamente la oferta de Equis, sonrió, sin dirigir a nadie especialmente su sonrisa: «Sonríe porque es un ángel —se dijo Equis— y los ángeles no necesitan pretexto alguno para sonreír, dotados, como están, de impunidad. Sonríe desde la gracia celestial y su sonrisa es la pauta de la armonía, del orden del universo.» El perro lo había seguido y ahora, fatigado por el calor, reposaba en el suelo, sentado ante los dos. «Está bien —pensó Equis— no es celoso. Ella tampoco.» La vieja dama hablaba una lengua que Equis no conocía por lo cual la conversación era difícil, pero esto, que en circunstancias normales lo habría deprimido, en este caso lo estimuló, lanzándose a hablar desinhibidamente.

—Me llamo Equis —le dijo—. Por circunstancias especiales, que tienen más que ver con la marcha del mundo que con mis propios deseos, desde hace años viajo de un lugar a otro, sin rumbo fijo. Es usted una mujer bellísima —agregó, dándose cuenta de que había encontrado un estilo de seducción anticuado que se adecuaba perfectamente al caso. «Y muy antiguo / y muy moderno», citó, para sus adentros (¿Rubén Darío o Víctor Hugo?).

Es posible que ella no haya entendido lo que dijo Equis ni le contestara nada acerca de su nombre, edad, religión, partido político, país de procedencia e impuesto a la renta; pero estas declaraciones policiales no interesaban a Equis que estaba convencido de que se trataba de una dama sueca, cinco veces abuela, viuda desde hacía varios años (lo cual eliminaba a un posible e incómodo competidor) que disfrutaba, sola, de unos días de vacaciones en la isla.

Equis observó que los brazos de la dama se afinanaban notablemente hacia las muñecas, siendo, en cambio, su parte superior, la que empezaba junto a los hombros, extremadamente gruesa y redondeada; los codos, sumidos en la gordura de esa zona, en lugar de sobresalir, como suelen hacer los codos, naufragaban y había que ir a buscarlos a un hoyo interior lleno de hendiduras y de arrugas.

Cuando conseguía entender la charla de Equis (que se había disparado en una larga rememoración de ciudades, mujeres y guerras) inesperadamente la mujer introducía temas nuevos, hacía preguntas o reflexiones que encantaban a Equis. «He enviado a mi perro a una escuela —escuchó decir a la vieja dama— para que aprenda inglés, ya que el pobre sólo entiende el sueco: ya ha hecho muchos progresos y ahora se sienta enseguida cuando le dicen: Sit-down.» A Equis la experiencia le pareció fascinante y de inmediato le preguntó si el perro se ponía de pie cuando alguien le decía: «Siéntate», pero ella no entendió su pregunta.

La dama tenía un cesto de paja, con una enorme dalia bordada y Equis sintió que también amaba la dalia, el cesto, las pulseras doradas que colgaban de los rollizos brazos blancos, las sillas de mimbre, los dedos de los pies de los turistas y hasta el sudor del dueño del café, que no se bañaba muy a menudo, como suele suceder en Europa. Pero cuando miró por debajo de la mesa y vio que la noble dama calzaba sandalias, por encima de todo (más que a la quinceañera que los miraba, curiosa, masticando con obscenidad un damasco que dejaba deshacer sádicamente entre los labios, más que a sus cabellos lacios alrededor de la cara, con restos de yodo de mar y de caléndulas), Equis amó esas sandalias rosadas. Si hubiera sido un maniático sexual —y en sus sueños lo era, como todo el mundo— Equis se habría dedicado a perseguir a mujeres que usaran sandalias. Estuvieran recubriendo parcialmente un pie —dejando deliciosos territorios de carne al descubierto— o bien solas, luciéndose en un escaparate o delicadamente apoyadas sobre la alfombra, las sandalias le provocaban una intensa excitación. Si eran sandalias discretas, con su clásico encordado en diagonal, su tacón delgado y esbelto, el tipo de excitación que le provocaban era de carácter más bien lírico. Entonces podía contemplarlas largamente, separándolas del pie que las llevaba y observarlas como objetos en sí mismos dejando que su imaginación evolucionara libremente. Si en cambio eran sandalias rústicas, con una finísima suela delgada como una hoja de afeitar y con un solo cordel anudado alrededor del tobillo, a Equis le provocaban una clase de excitación erótica, con rasgos perversos. En este caso se trataba de unas delicadas sandalias color rosa pálido, en notable armonía con el resto de la figura. Dejaban algunos trozos del gordo pie al descubierto, con sus muelles dedos como almohadillas y el angosto y blanco tobillo al aire.

Mirando respetuosamente los ojos celestes y acuosos de la noble dama, Equis —borracho por el sol y el cognac destilado en noches de teología y ciencia— continuó hablando de temas diversos, mientras ella, complacida, bebía su té con ademanes medidos, delicados, expertos. No le importaba entender y a Equis no le importaba ser escuchado, fórmula de la que depende el éxito de las parejas del mundo. De modo que cuando ella terminó su infusión, e hizo ademán de levantarse (separando un tanto la silla del borde de la mesa, para que su voluminoso cuerpo pudiera desplazarse con menor dificultad) Equis —que a esa altura estaba disertando acerca de los planes del Banco Mundial para solucionar el hambre de seiscientos millones de pobres absolutos, y que consistían, según Robert Mac Namara, en tratar de que se reprodujeran un poco menos, dada la irresponsable tendencia de los pobres a aparearse entre sí— no vaciló en ponerse él también de pie. El perro, diligente, hizo lo mismo.

No bien abandonaron la terraza con su techo emparrado y se dirigieron al camino de piedra que conducía a alguna parte, Equis, caballeresco, ofreció gustoso su brazo a la vieja dama, para que ella se apoyara; entre los vahos del sol y la leve embriaguez del cognac, Equis divisó aún la sonrisa burlona de la chica en camisa que con los cabellos mojados y los senos pegados a la ropa mordía un durazno, como si mordiera alguna otra cosa. Hacía calor y múltiples animales chillaban; chicharras, grillos y ranas, posiblemente. El camino era un poco empinado y ascendía por la enorme y recta montaña azul, cubierta, en las faldas, de abundante vegetación.

Por las calles del pueblo iban caminando, despacio, como un hijo solícito que acompaña a la madre anciana; como un huérfano que ama a la madre; cada uno hablaba en su lengua, pero de vez en cuando la vieja dama hacía un gesto, para que Equis observara el tronco ancho y retorcido de un algarrobo, o mirara un olivo centenario, o contemplara el lejano vuelo de un halcón, cerca de la cima de la montaña y que ella divisaba perfectamente, con sus dulces ojos celestes. Y Equis obedecía, admirando la exuberancia de las bugambilias, de espléndido malva, adivinando el curso del torrente entre las piedras y los arbustos. Pasaron por los lavaderos de piedra, con sus techos llenos de enredaderas, por el puente de troncos secos que atraviesa un río sin agua y por la enorme glorieta que como un tejado de flores —en un día de boda— conduce a las parejas hasta el rellano del hotel.

La habitación tenía una ventana y esto agradó mucho a Equis, pues era una ventana llena de macetas con geranios, helechos y mimosas. Los postigos, verdes, filtraban la luz del sol. Lejos escuchó el cencerro de las ovejas. Había un pequeño recibidor con una mesa, dos vasos y una planta de finísimas y largas hojas verdes, con una red de nervaduras amarillas, cuyo nombre Equis ignoraba pero no vaciló en bautizar cola de tigre. También había dos sillas, de mimbre, y se sentó en una. Más allá del recibidor veíase el dormitorio, con una gran cama antigua, de madera, de respaldo labrado y un ropero de cuatro puertas, macizo.

La noble dama fue hacia el ropero y trayendo una deliciosa botella en forma de trapecio, le ofreció a Equis una taza de té frío, que él aceptó con sumo gusto. Le agradaba el aire sereno de la habitación, la beatitud que ella trasmitía a todas las cosas y hasta el corpiño blanco que adivinó, debajo del vestido, sujetando el desborde de sus enormes senos.

El apareamiento fue lento y difícil, pero lleno de esas pequeñas delicadezas e intimidades que tanto seducían a Equis. En primer lugar, ella se había resistido, con largas y buenas razones expresadas en una lengua que él no entendía, pero cuyo sonido le agradaba. Cuando terminó de hablar —estaban sentados en el pequeño recibidor, frente a los dos vasos de té—, él delicadamente, enganchó su dedo pulgar con el de ella.

Era un pulgar que se afinaba hacia la punta —empezando, blanco y rechoncho allí donde la carne de la mano abultaba más—, inmaculado: un pulgar inocente, gordo, seráfico, como si nunca hubiera sido tocado. Posiblemente ella tenía cosquillas, pues se rió enseguida, de una manera graciosa y coqueta, que él compartió. Para combatir la timidez de la noble dama, que podía contagiarlo, Equis se largó a hablar, otra vez, ahora de tapices. No tenía la menor idea de cuál era el motivo para hablarle de los tapices de Cracovia, salvados de la invasión nazi gracias a la arriesgada acción de los patriotas polacos, pero de la pasión que ponía en el tema se deducía que era de eso y no de ninguna otra cosa de lo que quería hablar con la dama. Se acordó que luego de peligrosísimos viajes clandestinos en pequeñas y escurridizas naves los tapices llegaron por fin al Canadá, y habló con tanto entusiasmo de los riesgos y los accidentes que sufrieron los tapices que la noble dama, entusiasmada, sea por el acento de Equis, sea por lo que entendía del relato, lo comenzó a mirar a los ojos intensa y complacidamente. Su mirada, celeste, recogida en las piedras del camino, entre las hojas y el agua era tan fresca y juvenil, tan recatada e incitante que Equis se dio cuenta de que había conseguido vencer el pudor inicial.

Le pidió que le permitiera contemplarla, mientras se desvestía; ella no entendió su pedido, y aunque se puso de espaldas para hacerlo y pareció resistirse, en principio, a que él la ayudara, Equis la miró con tanta ternura en los ojos que consintió. Primero, desabrochó el angosto cinturón de cuero verde que se hundía en las carnosidades de su cintura, ajustando el vestido. Equis lo quitó con delicadeza y una vez entre las manos, lo dejó colgar, como símbolo de su castidad, de la ventana. El vestido tenía una larga cremallera, atrás, lo que permitió a Equis abrazarla contra sí, comprobando, asombrado, que sus brazos no alcanzaban para encerrar a la noble dama por entero. Delicada comprobación. Le pareció quererla mucho más por eso. La retuvo así unos instantes, apretada contra su pecho, hundido todo él contra esa maravillosa mole de carne, de blanca, tersa carne donde algunas venas azules asomaban, como ríos dibujados.

Ella, temblorosa, recatada, lo dejaba hacer, no sin mirarlo a veces, con asombro.

Aunque ya había bajado la cremallera del vestido, Equis prefirió quitar primero la ropa interior, deseoso de contemplar la majestuosa carne de la dama sin intermediarios. Asiéndola contra sí, sin dejar de sostenerla por el talle, Equis se inclinó y hundió su mano bajo el vestido. Rozando fantásticas moles de carne blanda y tersa que parecían deshacerse —tibiamente— entre sus dedos, avanzando por nubes de algodón que al tocarlas mostraban pozos negros, como la luna, Equis llegó hasta el borde mismo del calzón. Tal como había imaginado, en cuanto lo tocó se dio cuenta de que era un ancho y largo calzón de seda, posiblemente blanco o color carne, con pequeñas rayas verticales del mismo color, que descubría por un adelgazamiento de la tela. Emocionado, fue deslizándose hacia abajo, abriendo un poco las piernas de la dama que debido a la gordura, se cerraban en una sola, estrecha línea.

Los pies, en cambio, eran blancos, regordetes y pequeños, como los de una ángela pintada por Tiziano.

En cuanto al corpiño, que era de una tela firme y compacta, Equis lo desabrochó enseguida, satisfecho de escuchar el tic del cierre, al abrirse, y lo hizo descender por el arco de los hombros, dejando que la múltiple, láctea y mullida carne blanca se desparramara, escapándosele de las manos, en abundantes pliegues. Entonces hizo que la noble dama se volviera. Espléndida en su gordura, sin ropas, las piernas muy juntas y un poco torcidas hacia adentro; imberbe, con los pocos pelos claros del pubis casi imperceptibles; con delgadas venas azules que recorrían su cuerpo y pequeños pezones malvas desproporcionados para la figura, Equis la contempló como a una de esas maravillosas criaturas mutantes, como a los seres imaginarios que aparecen en los sueños y en las láminas.

A la derecha del Pantocrátor que bendice con el libro abierto —en cuyas páginas se aprecian cinco letras míticas: S C S en la par y D S en la impar—, en otro segmento del tapiz está representado el ángel inverso; sus alas se elevan un poco más alto que las del ángel a la izquierda del Creador y se trata de una figura peregrina, que camina hacia alguna parte. Los tonos de este segmento son más claros, más luminosos. Es el Ángel de la Luz, palabra que en caracteres latinos está inscrita en la parte superior del segmento.

EL VIAJE, XIII: LA ISLA

Equis volvió a la terraza de techo emparrado al día siguiente. Ahora, pidió un refresco. Nada había cambiado en el aire; las bugambilias malvas colgaban, exuberantes, de los muros de piedra, en resplandecientes racimos. Los damascos lanzaban su jugo en el suelo y el perro vagabundo dormitaba a la sombra, contagiado de la serenidad del ambiente. Somnoliento, se echó hacia atrás en la silla de mimbre, dispuesto a gozar del paisaje, cuando un silbido hizo que él, y el perro que dormitaba, alzaran la cabeza, alertas. Equis vio cómo, con agilidad y desenfado, la chica del día anterior, usando la misma camisa desteñida y sucia se acercaba, balanceando sus anchas y morenas caderas, los cabellos húmedos pegados a las firmes líneas del rostro. Siempre parecía recién salida de una inmersión en el mar, con residuos acuáticos en el pelo, en los brazos, en las piernas. Las gotas transparentes de agua se fijaban en los poros de la piel, se aferraban allí, como diminutas lentes. Como aquellas bolas de ópalo en cuyo interior hay menudas piedras de colores, filamentos vegetales, trozos de vidrio y pequeñas cuentas, dispuestas de manera irregular y cuyo conjunto —a través de la bola de sílice hidratada— nos fascina como el fondo del mar o la investigación de los cielos.

Estaba en el esplendor de la edad; en el momento de radiante hermosura en que la belleza, más que una cualidad de los rasgos o de la figura, es el resultado de un pasaje a la madurez de los órganos y de la piel, la suma de elementos que después se irán desengarzando, rompiendo esta armonía perfecta pero precaria. Los años venideros desproporcionarían todo lo que ahora se conjugaba para ser atractivo y gracioso: aportarían mayor anchura a las caderas, ablandarían los tensos tejidos oscuros de los senos; producirían tempranas estrías en esa piel templada —como lonja—, bronceada por el sol; conferirían un aspecto vulgar a la boca ancha y entreabierta y un brillo obsceno a la oscura provocación de su mirada contemporánea. Como el Pantocrátor en el tapiz ordena y mira la creación, conociendo, desde ya, su futuro, adivinando en el presente el desarrollo del avenir, Equis observó a la muchacha que con paso firme y seguro se aproximaba, golpeando el suelo con sus zapatillas negras deshilachadas. Había algo provocativo, un desafío pleno en su juventud, en la conciencia de la madurez del cuerpo, en la certeza de que esos dones naturales —tan magníficos en sí mismos como el sol, el agua del mar, la arena rubia de las playas o el vuelo de los halcones— merecían un goce, una gratitud, un homenaje, que Equis se sintió de inmediato inhibido. Tenía la exultante impunidad de los sanos, el orgullo vanidoso de los fuertes y bellos; se imponía por un par de piernas rotundas y torneadas, con espléndidas curvas en los muslos y en las rodillas; porque conseguía ese tono en la piel, como si fuera el maravilloso resultado de una mezcla de razas que el pintor, trabajosamente, imita en su paleta. La camisa, usada al descuido, transparentaba los senos tensos. Unos senos de barro cocido, redondos, en perfecta simetría con las caderas y cuyo centro estaba ocupado por dos tentadoras uvas moras.

«Se podrá ser más inteligente —quizá—, pensó Equis. Más sensible o dúctil. Pero es seguro que no se puede ser un animal más espléndido.» Cuando ella se sentó frente a él (sin excusarse ni temor a interrumpir), Equis estuvo a punto de relinchar. Pero era un hombre civilizado, un ser social, reprimido, acostumbrado a domar sus impulsos, como este otro potro (una sana y robusta yegua salvaje) no debía ser. Ella lo miraba con socarronería, recordando seguramente el episodio del día anterior, cuando lo vio por primera vez, medio borracho por el cognac y el sol; inexplicablemente, esto parecía conferirle una superioridad, una ventaja que él no estaba dispuesto a conceder, mocosa insolente. Para colmo, el dueño del bar —que seguramente la conocía— no se acercaba para crear un intervalo, un período de tregua en que él pudiera reflexionar, ganar seguridad invitándola a un helado, como se hace con los niños pequeños, e invertir la relación de poder. La maldita relación de poder. No, no vino.

La chica sacó una ajada caja de cigarrillos que guardaba en el bolsillo de su corto pantalón color ceniza e invitó a Equis, que aceptó complacido, sintiendo, de pronto, que este gesto establecía una suerte de camaradería, el humo de la paz de una guerra que quizá sólo había existido en su imaginación de macho (¿atípico?). El sol hacía brillar el pelo oscuro de la muchacha, todavía húmedo. «Ha de bañarse en las fuentes, en los torrentes, en los ríos y arroyos, como las nereidas. Como los perros cansados por el calor recorren el camino, hasta hallar la corriente reparadora y en un baño ritual se hunden hasta el cuello, solitarios y solemnes, encontrando la secreta relación que siempre hay entre un ser y el agua», pensó Equis.

—Me fastidia la pregunta de quién soy y de qué hago —dijo ella, adelantándose a una interrogación que él hacía tiempo ya no usaba, tales son las incertidumbres de la vida contemporánea—. Mi respuesta sería muy complicada. Imposible de resumir; el peor modo de empezar una conversación. Aquí, todos son extranjeros —continuó la chica—. Si quieres, puedes llamarme Graciela, dado que hay que dirigirse a las cosas y a la gente por un nombre. Me encantaría saber cuál fue el origen de las diferentes lenguas. Al principio, cuando era más chica, la primera vez que pensé en estas cosas, se me ocurrió que la diversidad de idiomas era una complicación innecesaria; una de las tantas cosas en el mundo que resultaban complicadas sencillamente porque no se supieron hacer de una manera más simple.

Me parece que a veces la simplicidad viene después de una evolución, es una síntesis, y no al revés. Ahora he cambiado de idea. Lo bueno de mi edad es que se cambian las ideas muy a menudo, no como los viejos; ellos cambian pero no las cosas que afirman o que creen. Para colmo, piensan que eso es una señal de madurez. Ninguna comprobación puede asegurar que la persistencia en una creencia, mito o idea guarde relación alguna con la madurez, pero los viejos están convencidos de ello. Como te digo, ahora, en cambio, pienso que la diversidad de lenguas está bien. No sé por qué, pero me parece que está bien. Aunque quién sabe cómo sería el mundo si todos habláramos igual. ¿Te gustan las viejas?

Equis, que se estaba sintiendo terriblemente anciano desde el principio de la conversación, y ése era un sentimiento incómodo, se arrellenó en la silla de mimbre, para ganar tiempo, y le fue muy difícil dar una respuesta en el estilo breve y punzante que Graciela parecía exigir. La conversación, casi siempre, es más una cuestión de estilos que de pensamientos.

—Verás —le dijo, sin prisa—. En realidad, no tengo preferencias. Quiero decir, con esto, que el asunto de la edad no me parece fundamental. Supongo que te referías a la noble dama que bebía té, ayer a la mañana.

—Sí —contestó ella, rápidamente—. ¿Por qué la llamas «noble dama»? ¿Es de la aristocracia o algo por el estilo? El asunto de las clases sociales me postra.

—No me refiero a eso —se defendió Equis—. Sino a otra cosa.

—Conozco a una cantidad de hombres que mueren por las viejas. Pero son mucho más jóvenes que tú. Es como una enfermedad de la infancia, la varicela o algo así. Algunos son amigos míos. Me parecen francamente estúpidos.

—Me imagino que tampoco me refiero a *eso* —respondió Equis, elíptico.

—Creo que te sería muy difícil vivir sin los pronombres determinados. Acabo de aprobar mi curso de gramática. He aprendido una barbaridad acerca del uso del lenguaje. En todo caso, no me interesa demasiado el asunto de la vieja, si es una aristócrata inglesa o una corista retirada. Acá vienen muchas. Actrices de quinta o sexta categoría, que alguna vez hicieron un papelito en una película de la Metro o de la Fox, y se pasean con un aire de princesas exiliadas de lo más cómico. Los chicos no les hacen caso, porque son muy histéricas y resentidas. Además, un desastre en la cama. Como los patrones; no quieren eficacia sino esclavitud. ¿Nunca tomas sol?

—Verás —respondió Equis—. Tengo la piel algo delicada y por otra parte, sin ofenderte, porque tú eres otra cosa, el espectáculo de muchedumbres blancas tostándose al sol, entre cáscaras de naranjas, envases de agua mineral y grandes manchas de petróleo que flotan en el agua...

—¿Qué quieres decir con que yo soy otra cosa? —interrumpió ella, severa.

—Tú estás antes de la contaminación, no sé si me explico. Antes de los choques en alta mar de grandes petroleros; antes del plástico, la ortopedia, la gasolina y los yates. Antes de la loción broncedora, los tratamientos para rejuvenecer el cuerpo y de la marihuana en los quioscos. Como un pensamiento exonerado del tributo de su circunstancia, si me permites.

Ella lo miró reflexivamente.

—Sí te entiendo, dices eso a pesar de que fumo marihuana, adoro el cine y el sol. Quizás, entonces, también la vieja era «un pensamiento exonerado del tributo de su circunstancia», pese a que su casa en Estocolmo o Londres seguramente está repleta de artefactos modernos, hágase el yogourt usted mismo con una yogourtera ultrasónica, hay plantas de plástico, su lavadora de vajillas lava y seca al mismo tiempo y el televisor emite y graba en un mismo aparato. ¿Lo harías también conmigo?

Equis se sobresaltó, como cuando su madre abría de improviso la puerta y lo sorprendía en el cándido entretenimiento de clasificar sellos; de alguna manera, entonces —y ahora— tenía la certeza de estar decepcionando, en parte, a alguien.

—Verás... —vaciló Equis, complicado en el asunto de imaginar cuál le parecería a ella el escenario adecuado.

—Qué sería de ti sin las muletillas del lenguaje —ironizó Graciela, aprovechando su confusión.

—Creo que sí —contestó después, con toda sencillez.

—Entonces —continuó ella, como si su respuesta fuera nada más que la confirmación de lo que esperaba— es posible que tu —vaciló, para memorizar con exactitud— «pensamiento desprendido —perdón—, exonerado del tributo de su circunstancia», sea, también, un pensamiento liberado del yugo de la dependencia del objeto, quiero decir: un reflejo de ti, no de las cosas. Hasta aquí, puedo llegar; no más. El asunto de los espejos es sumamente complicado. Creo que voy a perder mi examen de lógica. Nunca sabrás si lo que llegaste a pensar —¿o a imaginar?, —interrogó— acerca de la vieja —¡pero qué vieja era, eh!— o de mí, tiene que ver con nosotras mismas o sólo es tu ensoñación, tu deseo. ¿Los deseos son ensoñaciones y es posible que no nazcan de cosas que nos promueven los seres o los objetos sino de nuestras fantasías? A partir de este momento, me mareo. Experimento malestar, igual que cuando como muchas uvas o duermo demasiado. Me parece que a mi cabeza le hace mal pensar. Estuvo demasiado acostumbrada a obedecer, por haber nacido pequeña, y por haber nacido mujer.

—Dos esclavitudes difíciles de sobrellevar —sentenció Equis, solemne—. De la primera, te libera la edad; la segunda, te exigirá una larga lucha.

—No me gusta sintonizar la voz de la experiencia, —protestó Graciela—. Voy a perder mi examen de lógica. De todos modos, lo que pienso lo he pensado sola —agregó, sombría—. Nadie me ha preparado para esto. ¿Tienes preservativos?

Equis volvió a sobresaltarse y contestó que no.

—Me lo imaginaba —suspiró ella—. ¿Eres de los que pretenden que una se arruine la salud tomando píldoras o abortando en una clínica sólo-para-mujeres? ¿O acaso haces el amor nada más que con viejas?

Estaba irritada y Equis experimentó un vago sentimiento de culpa, exonerado del tributo de la circunstancia, pero tan real como si hubiera apaleado a un niño.

—Ya vengo —dijo ella, antes de que hubiera tenido tiempo de disculparse—. Traeré mis cosas.

Partió rápidamente, saltando sobre las lajas calientes, atravesando el vaho del sol que envolvía como una mortaja. Equis la vio correr entre los macizos de bugambilias, sobre las piedras desiguales de la calle, como una curiosa lagartija ebria de la sabiduría de su especie.

Cuando regresó, el perro estaba orinando el seto de mimosas, con esa mirada filosófica y concentrada en el infinito que ponen los perros al orinar. Terminó, echó una ojeada al largo chorro que oscurecía las hojas de las plantas y se dirigió, resueltamente, hacia las ruedas de una moto que alguien había estacionado cerca. Hubo un despectivo chorro también para las tuercas, los cilindros y los aros de metal, que Equis festejó, secretamente, como castigo a una técnica ruidosa y descuidada.

Graciela se acercaba trayendo un largo estuche de guitarra, por todo equipaje. Aunque la música no le parecía imprescindible, Equis se alegró de este gesto de la muchacha. Tenía una buena voz y posiblemente además de rasgar las cuerdas, cantara un poco. Habría que estudiar el papel que ha desempeñado la música en las nuevas generaciones, reflexionó Equis, siempre antropológico.

—Conozco un buen lugar en la playa —le informó Graciela—. Es una cueva, entre las rocas. Hay que escalar un poco, primero, y mojarse los pies, porque la marea sube. ¿Tienes vértigo? —Sin esperar su respuesta, siguió—. Una vez tuve que quedarme toda la noche en la cueva, porque el mar había crecido. El estúpido con el que fui se puso muy nervioso; le dio un calambre y además estaba preocupado por sus padres. Sólo lo dejan salir de noche cuando saben que va a una de esas detestables fiestas juveniles, donde todo el mundo se toca y después se duermen, saturados de yerba. Les parece mucho más indecente pasar una noche afuera, al aire o en la playa; los padres son así. Los míos, también. De cualquier forma, la noche fue excelente. Se oía el ruido del mar, en la oscuridad, y como se nos habían acabado los fósforos no sabíamos bien a qué altura estaba el mar. Vigilábamos el sonido, para tratar de adivinar si nos invadiría o no. El mar a veces inunda la cueva. Nosotros dos tampoco nos veíamos, lo cual era mucho mejor, porque no habría soportado su cara de miedo. No porque se tratara de un chico. No creo que los hombres deban sentir menos miedo que las mujeres. Si hubiera sido una chica, me habría irritado igual. De noche la cueva es bastante fría, porque siempre está húmeda y creo que hacía mucho viento. En la oscuridad parece que hubiera más viento, ¿no es raro? Creo que a él le dio un ataque de nervios, porque empezó a tiritar. No entiendo por qué me odiaba, ya que fuimos a la cueva de común acuerdo. No nos gustábamos especialmente, pero ese día sí. Sin embargo, a partir de esa noche me detestó, como si yo hubiera sido la responsable de que la marea subiera. ¿Se te ocurre algún sitio mejor? —le preguntó, por pura condescendencia, porque Equis se dio cuenta de que no estaba dispuesta a renunciar por ningún motivo a la cueva.

—Te llevaré la guitarra —ofreció Equis, gentil.

—¿Qué guitarra? —preguntó Graciela, riéndose.

Puso el estuche sobre la mesa, sin mucho cuidado (un vaso trastabilló y Equis lo sostuvo) y manipuló las dos hebillas del cierre.

Cuando lo abrió, Equis se dio cuenta de que en su interior no había una guitarra, sino una serie de objetos personales; prendas de ropa interior, un cepillo de dientes, un pequeño espejo roto, un par de calcetines, una tricota, dos libros, un estuche con lápices de colores, un peine, varias cajas de fósforos, un carrete fotográfico vacío, tres bolitas de vidrio, una estilográfica y diversos recortes de diario. También había —detalle que lo humilló— una caja de preservativos.

A Equis le pareció una delicada forma de viajar.

La marea estaba baja, cerca del acantilado. Pero cuando el viento se levantaba un poco —como un pájaro inmenso que hubiera estado dormido entre las ramas— las olas aumentaban su ímpetu y rodaban sobre el derrubio, trepando las rocas cubiertas de greda. Los acantilados, minados por los golpes de mar, se derrumbaban periódicamente. Entonces, de los grandes bloques hundidos asoman las aristas, expuestas al salitre y al aire marino; el resto de la mole permanece sumergida. Algunos fragmentos extremos —de formas retorcidas o puntiagudas— asoman también, distantes, como cabezas de un animal múltiple. Puede suceder que de un lado del acantilado, la marea esté baja, lama los bordes del derrubio, sin escalar, con mansedumbre, y del otro lado, en cambio, el mar rompa ferozmente, intentando escalar, formando grandes corolas de espuma. Es el lado que prefieren las gaviotas y los amantes, ya que su inaccesibilidad lo vuelve solitario. Es frecuente verlas, en la cima del acantilado, como vigías a quienes una lava ardiente o una pátina de sal inmovilizó. Sólo se sabe que están vivas cuando un graznido agudo —como una señal de incendio o el crujido de una madera en el barco— cruza el aire: se ha iniciado la pesca —ésa que realizan en grandes órbitas sobre la superficie de las aguas— o el vuelo ritual, antes del acoplamiento.

En ese lado de la costa se puede apreciar una roca en forma de cabeza de león y el perfil de un rey persa, altivo.

Entre las asperezas del acantilado, cuyo dibujo desigual presenta entradas, salientes, deformaciones y prominencias, hacia la cima, se divisan dos o tres grutas. La primera es muy pequeña, apropiada sólo para albergar el nido de algún pájaro o de un gavilán. La segunda, más ancha, no es, sin embargo, mucho más profunda. Se eleva un poco más alto que la anterior y a su entrada crecen algunas hierbas.

La tercera es una verdadera gruta; horadada en la cima del acantilado cuyos bordes a veces se derrumban, desde abajo casi no se divisa: una ilusión óptica hace creer que se trata sólo de un pequeño agujero, angosto y sin profundidad, plano. Pero se trata de una verdadera gruta, oscura, profunda, una garganta excavada en la roca como para dar refugio a varias personas.

Cuenta la tradición que desde allí defendieron las mujeres, en el siglo XVIII, la libertad de la isla, ante una invasión. Los hombres, que peleaban en la costa, en inferioridad numérica y de armas, al verse derrotados se replegaron, huyendo en completo desorden. Sus mujeres, que habían escalado el acantilado, aparentemente en busca de protección, estaban escondidas en la gruta; pero durante el camino, fueron recogiendo las armas de los heridos y de los muertos. Cuando de las naves invasoras descendieron, triunfantes, los conquistadores, las mujeres los recibieron con un fuego graneado que parecía proceder de un ejército numeroso, estratégicamente dispuesto en los recovecos de la playa. De este modo sorprendieron a los fugaces invasores, quienes, temerosos, volvieron a embarcarse y emprendieron rápidamente el regreso.

Desde antiguo se conoce la atracción que la luna ejerce sobre las aguas, plateado imán que opera desde lejos, izándolas para que cubran los edificios retorcidos de las rocas y sus salientes o amainándolas, aplacándolas, retirándolas hacia el fondo del océano. Entonces aparecen las cosas que viven en el fondo del mar su secreta existencia clandestina.

A la izquierda del ángel que sostiene una antorcha —ocultándola de la vista del mundo—, llamado Ángel de las Tinieblas, en otro fragmento del tapiz, se halla inscrito un círculo, flotando sobre las aguas, y en el mismo puede leerse: Fecit Deus firmamentum in medio aquarum (Hizo Dios el firmamento en medio de las aguas). Simboliza la creación de los cielos.

EL VIAJE, XIV: PUEBLO DE DIOS

Primero fueron las palabras, luego las abreviaturas. A veces, a Pueblo de Dios llega algún alucinado. Son hombres y mujeres extranjeros; su lengua es una combinación de idiomas dispares, cuyo conjunto compone una oración. (No debe escapársenos el doble sentido de esta palabra, por tratarse de predicadores.) La melodía del conjunto importa tanto como la sustancia de lo dicho, teniendo en cuenta que el profeta habla no tanto para ser entendido como para ser obedecido. (Lo que equivale a decir: primero fue la metáfora, luego las abreviaturas.) En casi todas las lenguas, donde la edad de las palabras compone una curiosa cronología, entre las más antiguas está la palabra Sol. No es difícil explicar por qué. ¿Macho o hembra? Según enseña Borges, por el cual Equis experimenta un ambiguo afecto, los idiomas germánicos que tienen género gramatical, dicen *la sol.* También los guaraníes y —curiosamente— la antigua cosmogonía del Japón habla de una diosa sol, hembra.

Extranjeros, casi siempre jóvenes, antes de la edad en que Alighieri dice que se perdió por una selva oscura, los alucinados que llegan a Pueblo de Dios parecen brotar de algún lejano confín, o haber nacido de sí mismos: no reconocen procedencia, no portan equipaje ni arrastran compañía. El pueblo no se junta a su paso, ni sale a recibirlos, como hacían con el profeta hebreo. No parece importarles mucho: el fin de la predicación está en sí mismo, parecen creer, como el de la poesía.

La frecuencia de estas apariciones les ha restado prestigio, ya que las revelaciones, como los milagros, para ser eficaces tienen que ser escasas. Milagros demasiado frecuentes romperían el delicado equilibrio entre la realidad y la fantasía, la ansiedad y la compensación sobre el cual germinan.

En un mapa que ha confeccionado un residente de Pueblo de Dios, llamado Morris, quien llegó al lugar hace algunos años y no volvió nunca a salir de él, la isla, y en especial, el área reducida del pueblo, son dos de los polos místicos del mundo. Lo explica por el magnetismo de las mareas, el mineral de hierro del que se compone el interior de la montaña, la posición de la luna, el clima, más bien cálido, la ausencia casi de lluvias (los profetas huyeron siempre de las zonas nórdicas) y las revelaciones —cinco— que el antiguo cortesano, polígrafo, teólogo, poeta, defensor de la fe y destilador de cognac dijo haber tenido, a propósito del lugar, como centro de irradiación religiosa.

Como a Graciela le gustan mucho los mapas, especialmente los antiguos, a menudo visitan la casa de Morris, el excéntrico extranjero asentado en la isla. No es sólo por los mapas que lo visitan; a Equis le interesa —moderadamente— su colección de pipas, su biblioteca de libros medievales, los álbumes de sellos con la efigie de la Reina Victoria y el número de plancha crípticamente inscrito en los adornos del costado (1858) que es necesario mirar con una lupa, como los dibujos de los lepidópteros.

—Los coleccionistas son seres apasionados —opina Graciela—, y en todo caso, me interesan mucho más que los burócratas.

Las palabras, Graciela, son pasiones pequeñas que nos arrastran, con su caudal de sentimiento y cuyo uso, preciso como el bisturí, es un culto o es una profanación. La vez que le dijiste burócrata a tu padre, su mano voló hasta tu mejilla y tú te sorprendiste un poco, como el niño que inoportunamente repite una frase cuyo sentido no entiende se asombra de que en otra ocasión, la misma frase sea festejada. Como se prohíben, a veces, libros compuestos por palabras inofensivas en apariencia pero que despiertan un antiguo recelo, un recelo culpable, ya que no hay un estado, no hay un hombre que no lo sea en sus fantasías.

La casa del coleccionista apasionado está en el camino a la montaña. Una casa de piedra, con pocas puertas y ventanas (exenta casi de aberturas, dice Morris, en su lenguaje elaborado), con un enorme jardín delantero, invadido por los árboles, las hierbas y malezas, por el cual es muy difícil penetrar, si no se conoce el camino secreto que él mismo ha abierto, entre los troncos y las ramas y que sólo los elegidos recorren, provistos de un curioso mapa que él, como máxima prueba de amistad concede, siempre y cuando el destinatario se comprometa a mantener el secreto. «Prohibida su reproducción, venta, canje o exhibición», dice, en caracteres góticos, el que le regaló a Graciela, hace muchos años, cuando la encontró llorando, al borde del torrente, porque su tortuga de roca se había escapado y nunca más volvería a verla. Desde entonces, Graciela visita regularmente a Morris, no sin escándalo del pueblo. Se les atribuyen extrañas relaciones, de las cuales la zoofilia no está excluida, dada la pasión de Graciela por ciertos animales (los caballos, las serpientes, los castores y los ciervos) y el gusto excéntrico de Morris, más su soledad, ya que pocas veces abandona su casa, y cuando lo hace, su manera de hablar, algo artificial, despierta la desconfianza pública. (Morris se defiende diciendo que su retórica manera de hablar se debe a que aprendió el idioma del país leyendo a sus escritores y filósofos del siglo XVI y esto crea más desconfianza aún, ya que nadie los lee y la mayoría jamás oyó hablar de ellos, pese a lo cual han vivido, comido, fornicado, comprado tierras, vendido casas, instalado fábricas y negocios, de lo cual se deduce que su conocimiento es prescindible.)

Graciela se acostumbró a visitar a Morris, quien encantado con su presencia le enseñó todos sus tesoros, la educó —en virtud del lamentable estado actual de la enseñanza en el mundo, reconoce—, la retuvo cada vez que quería huir de la casa paterna y de un progenitor del cual lo menos que podía decirse era que se trataba de un burócrata —por ende: un autoritario— y la quiso, sin protegerla excesivamente, sin perturbar su libertad, sin exigirle que se le pareciera ni que fuera su complementaria. Por otro lado, sus propias ocupaciones

—las múltiples, minuciosas y absorbentes tareas de los coleccionistas— impidieron que la educación de Graciela se convirtiera en una esclavitud para ambos, ejerciéndose, en cambio, como un deleitable pasatiempo, una diversión común.

Graciela llegaba siempre a casa de Morris con algún pollo, un jamón, una botella de vino, una sandía, calabazas o tomates que había recogido mientras se dirigía, correteando, al camino secreto que aislaba a su maestro. En cambio, cuando se iba (Morris era muy prudente y evitaba que la muchacha permaneciera hasta tarde en su casa, porque detestaba la maledicencia, pero al mismo tiempo, era distraído, de modo que la muchacha conseguía muchas veces que su estancia se prolongara hasta bastante después de la medianoche), nunca dejaba de llevarse una estampilla curiosa (un centro invertido o un dentado irregular), algún libro de los que ya no se leen («Los únicos que en verdad interesa, y es imprescindible leer», comentaba Morris), alguna mariposa de singular dibujo, atrapada en una selva amazónica y que había llegado a poder de su dueño en virtud a increíbles intercambios epistolares. (Morris no salía casi nunca de su casa, pero mantenía, en cambio, una correspondencia caudalosa, para malhumor del único cartero del pueblo, que como todos los carteros, detestaba su oficio y soñaba con un mundo donde las cartas estuvieran prohibidas.) No mostraba ningún interés en conocer personalmente a sus corresponsales, hombres y mujeres de diferentes orígenes y edades, porque según pensaba, las cartas que escribimos son mejores que nosotros mismos y a él le alcanzaba con esa zona de transparente misterio que creaba la correspondencia. Temía a la decepción y la única vez que alguien —una mujer con la cual había intercambiado dos cartas semanales, durante tres años, además de lepidópteros, postales antiguas, conchas marinas y telegramas de la guerra del 14— le anunció que pensaba viajar a la isla y llegar hasta Pueblo de Dios, para conocerlo, Morris se alarmó tanto que decidió enfermarse súbita y gravemente, de una enfermedad contagiosa, además, que exigía cuarentena.

La inaccesibilidad del camino lo ampara de visitas

no deseadas, de peregrinos y de vagabundos que tanto abundan «en épocas de desconcierto y de penuria», como llama Morris a los tiempos actuales. Equis insiste en sostener que todos los tiempos han sido de desconcierto y de penuria para los que no fueron tocados por el privilegio del poder y que nuestros días no se diferencian de los anteriores más que por el número de perseguidores, la sistematización de sus métodos y la fría lógica que aplican, cuyo resultado es el delirio. «Como el de toda persecución», apostrofa Morris, quien en el globo terráqueo que tiene sobre la mesa de trabajo llena de pipas raras, con cazoletas talladas o de espuma, va indicando, con alfileres negros, todas las regiones donde la opresión se ha instalado. Escasas, cada vez más pequeñas zonas del globo quedan libres y un día u otro Morris, melancólico, decepcionado, las va pinchando, contemplando con lástima el aspecto que ofrece el globo en su trípode de madera, donde las únicas partes libres corresponden a los mares. «Eso —dice Equis— sin tener en cuenta que en el fondo de los ríos, en el litoral de los océanos y en las playas alejadas, aparecen con frecuencia numerosos cadáveres mutilados; cuerpos que después de haber padecido el tormento han sido lanzados al agua, y se encadenan a los bancos, a las plataformas marinas, como algas. Son los cementerios marinos, diferentes, por cierto, como advertirás, a los de Valéry, que Dios tenga en la Gloria.» «Shhhhhh —dice Morris—. Silencio. De esas historias no conviene hablar. Además, son de mal gusto. Pescadores sumergidos que de pronto se encuentran, bajo el agua, con el cuerpo destrozado de una muchacha, y temerosos, no saben qué hacer con él, porque denunciar a un muerto es volverse culpable. Hermosos litorales donde ya no se divisan misteriosas galeras a la deriva, barcas blancas bogando, sino horribles rostros mutilados. ¿Cuál crees que es la costa con mayor número de estos cementerios? Para ser justo, pincharé también esos mares, esas aguas envenenadas» —y de la caja, toma un par de alfileres negros.

—Por tanto —agrega Equis— los grandes cetáceos que pasean y los peces pequeños; las orcas y los narvales; las esponjas y las lubinas.

Oscurece. A veces, suele sucederles, olvidan encender las luces y las sombras del jardín, de los algarrobos centenarios retorcidos, del enrejado de ramas penetra a la casa como un huésped tardío.

EL VIAJE, XV: EL PARAÍSO PERDIDO

La llegada de Gordon a Pueblo de Dios causó gran entusiasmo. Si bien otros personajes extraños, famosos o extravagantes habían arribado en los últimos años, en avión, en barco y a veces en inverosímiles aparatos (globos, galeras y balsas), Gordon tenía una singularidad que lo diferenciaba de los numerosos extranjeros de Pueblo de Dios: era el único que había viajado a la luna.

Acodado en el mostrador de estaño del bar más antiguo del pueblo, el que tenía techo de zinc y grandes jamones colgados que destilaban lentamente su grasa, solía contar una y otra vez su viaje a la luna, que duró exactamente cinco días y sus respectivas noches, tiempo terrestre, controlado por los enormes centros de investigación y las torres de seguimiento de ruta instaladas en diversas partes del mundo. El viaje se había efectuado hacía varios años, ya, y la gente se olvidó de él, porque nada puede lo maravilloso ante el indiscutible peso de lo real. A Gordon le parecía imposible que toda aquella gente que había estado durante cinco días enteros pendiente de su vuelo, que lo había seguido en sus primeros pasos sobre la escalofriante superficie lunar, que le dirigieron innumerables cartas felicitándolo —tantas que sus tres secretarios, trabajando ocho horas diarias, habían tardado un año en contestar—, que rezaron por su vida, mientras regresaba, se hubieran olvidado rápidamente de la hazaña, ocupados en sus oficios y asuntos habituales. Pero lo que más sorprendía a Gordon era que toda aquella gente que lo había acompañado, a través de la pantalla, en el primer paseo que dio por el espacio y por los platinados pozos de la luna, que como él, habían visto la polvorienta superficie llena de mares increíbles, los cráteres absorbentes de hipnótica gravedad, pudiera continuar viviendo del mismo modo, sin esa nostalgia, sin ese deseo que lo dominaba a él.

—Hay un loco que fue a la luna y desde entonces no puede vivir en paz. Está enfermo de los nervios o algo así —le informó Graciela a Equis, que la oía asombrado—; enamorado de la luna, como dicen los boleros. Es un tipo muy divertido, si lo sabes tratar. Lo jubilaron o lo retiraron, no sé bien. Ahora vive en el pueblo, casi siempre está borracho y guarda una bolsita con polvo de la luna, me parece, aunque a lo mejor es mentira, y son las cenizas de su abuelo. ¿No lo quieres conocer? A veces dice cosas interesantes.

Al principio, la gente se reunía para escucharlo. Le hacían muchas preguntas: si había sentido frío o calor, en la luna; si se había mareado, durante el viaje; qué cosas había comido; si era cierto que durante su ambular estuvo a punto de caerse a un pozo; qué árboles y plantas le parecía que podrían cultivarse en la luna; si el espacio era transparente; cómo se veía desde esa distancia la tierra; qué hubiera sucedido de no haber sucedido lo que sucedió; si era ateo, si tenía pesadillas, si tuvo ganas de orinar sobre la luna, cuánto le pagaron por el viaje, si se sentía cómodo con esas ropas espaciales, cuántos hijos tiene y si es verdad que su esposa lo engañó durante esos días.

Gordon había contestado una y otra vez esas preguntas, leyendo párrafos de un libro inédito donde narraba su experiencia, pero que según un contrato firmado antes de emprender el vuelo, no podía editar sin autorización del Departamento de Investigaciones Espaciales, que jamás se lo daría, porque era una competencia para sus propios libros. En compensación, a su regreso le habían ofrecido la presidencia de una compañía de viajes en autobús, llamada La Lunar, S. A., la gerencia de una red de hoteles internacionales y lo habían nombrado Consejero Asesor de una gran empresa de refrescos, a cambio de que su fotografía, en traje del espacio, apareciera debajo de las tapitas de una naranjada. Varios sellos, con su efigie y el grabado de su firma se imprimieron en distintos países del mundo, y de todas ellas él guardaba una plancha de la primera emisión.

En Pueblo de Dios, había otros personajes ilustres; un excelente poeta inglés, cuyos libros no se conseguían por ninguna parte, y ahora, viejo y desmemoriado, yacía en un sillón, balbuceando como un niño de pecho. Una cadena de televisión había filmado en capítulos la única novela que escribió y esto había hecho ricos a sus herederos, quienes jamás venían a visitarlo, por otra parte, pues detestaban el clima del lugar. También había un físico norteamericano, quien contrajo una terrible fobia a la electricidad y había huido del centro de investigaciones donde trabajaba, refugiándose en Pueblo de Dios, en una casa sin luz y sin agua que iluminaba a velas. Era un buen hombre, extremadamente simpático, siempre y cuando uno no hiciera funcionar ningún aparato eléctrico ni demostrara afición por las afeitadoras, las batidoras o los lavarropas. Y una actriz cómica, de televisión, que se había retirado en plena juventud; la noche de bodas —cuya filmación compró la cadena para la cual trabajaba, pagándole una buena cantidad de dinero— huyó sorpresivamente de la ceremonia, perdiendo un zapato en la fuga y sin regresar jamás al lugar donde se celebraba la boda. El canal de televisión le puso pleito y tuvo que devolver el dinero: al marido lo había devuelto ella misma. Algunos consideraban que ésta había sido su mejor actuación cómica, pero ella no permitió que jamás se volviera a pronunciar la palabra matrimonio en su presencia.

También vivía en Pueblo de Dios un famoso violador, el cual, luego de haber sembrado el pánico en tres ciudades, por fin fue capturado; descubrióse entonces que antes de dedicarse a esa profesión, había sido policía, por lo cual enseguida lo pusieron en libertad. Se casó y se instaló en Pueblo de Dios, donde lo dejaron vivir siempre y cuando violara fuera del perímetro del lugar, y todo el mundo lo quiere mucho, porque es un hombre muy simpático y de buen carácter, que ama a los perros. En los últimos tiempos sólo viola a turistas, por delicadeza.

Con el tiempo, la gente también se aburrió de Gordon, quien, por otra parte, no había vuelto a viajar a la luna, por lo cual sus relatos resultaban monótonos.

—Quiero volver allí —le confió a Equis, la tarde en que se conocieron—. En realidad, es lo único que deseo en este mundo.

—En el otro, querrá decir —rectificó Equis, cáustico. Estaban bebiendo whisky desde hacía un rato; se habían hecho prudentemente amigos y Equis lo escuchaba con interés.

—A propósito —intervino sorpresivamente Gordon, quien jamás advertía la presencia de su interlocutor, inmerso en su propio monólogo. Pero esta vez, fuera porque el whisky era de pésima calidad (había mirado hacia el fondo del vaso varias veces, como sospechando encontrar en él una cucaracha o algún otro insecto), fuera porque Equis era una figura nueva en el pueblo, condescendía a prestarle alguna atención—. ¿De dónde es usted? (Y lo miró con sus ojos grises de ratón, de un curioso, inquieto ratón que ha viajado a la luna y todavía no ha vuelto.)

—Soy un exiliado —farfulló Equis, atragantándose con el líquido, como toda vez que tenía que dar esta respuesta.

—¡Magnífico! —comentó Gordon—. ¿Así que a usted también lo han echado de alguna parte y no puede regresar? ¡Qué duro es el exilio, amigo mío! ¡Cuánto se sufre!

—Todos somos exiliados de algo o de alguien —contemporizó Equis—. En realidad, ésa es la verdadera condición del hombre.

—De noche —continuó Gordon, exactamente como si no lo hubiera oído—, porque es de noche cuando más me pasa, no puedo dejar de pensar en esa superficie. En esa blanca superficie que pisé, que tuve bajo mis pies. Entonces, me pareció que tenía mucho tiempo para estar ahí. Estaba fascinado, y no me daba cuenta de que el tiempo transcurría. Además, ¿qué es el tiempo? ¿Alguien puede decirlo? Cuando se viaja tan lejos, se sabe que el tiempo es una convención ridícula, un acuerdo entre las partes, un precepto de la tribu sin más fundamento que la conveniencia. No tenía prisa; iba despacio, dando pasos cortos, no por temor, sino por reverencia. ¿Entiende usted? Caminaba despacio por homenaje, cosa que la gente que nos miraba por la pantalla no podría entender. Nunca vi lagos de ceniza iguales, nunca un suelo más platinado. Le aseguro, amigo: no existe paisaje como ése. ¿Se imagina usted el desierto de California, pero en la luna? Había cráteres de diversos tamaños, ninguno igual a otro. Y yo me asomaba a ellos, me acercaba, viéndolos girar. A propósito, ¿vio usted durante la filmación alguno de los cráteres? —le preguntó a Equis, mientras excitado, bebía el resto del líquido que le quedaba («¡Qué whisky inmundo sirven en este lugar!»)—. Cuando llegamos a la luna (no sé si recordará que en el viaje me acompañaron dos inútiles más; unos tontos, unos inservibles, sin el menor sentido poético, que ahora se dedican a recorrer el mundo en sus yates, repletos de mujeres, pero ¿qué es el mundo? Apenas una cáscara de cebolla, se lo aseguro), bridamos con champagne, como se hace en el viaje inaugural de un barco. Pero usted, ¿vio o no vio los cráteres?

—Me parece que me dormí durante la transmisión —confiesa Equis—. Verá, eran tiempos malos, muy difíciles. Se perseguía a mucha gente, uno no podía estar tranquilo, pero esa noche dormí, dormí porque como el hecho era muy importante, deduje que hasta los perseguidores abandonarían su oficio, para ver la transmisión. Tenía mucho interés en ver el viaje; de verlo a usted, en una palabra, y estaba contemplándolo... fíjese que ahora me doy cuenta de que usted era el hombrecito que descendió primero de la nave, el que bajó como sostenido por los hilos de un titiritero y lentamente, muy lentamente, apoyó, con suavidad pero firmeza aquellas enormes botas en la luna...

—¿Así que usted también se durmió? No me extraña. Figúrese que por un raro fenómeno que aún no se ha analizado bien (por supuesto: los energúmenos del Departamento de Investigaciones Espaciales me han prohibido hablar de esto, pero en confianza se lo digo a usted, dado que los dos somos exiliados, y ése es un vínculo muy profundo, como un cordón umbilical, yo diría), mucha gente que quería ver el programa, mucha gente que estaba mirando con toda atención el descenso, con los ojos abiertos, porque se trataba de un suceso histórico de primera magnitud y durante muchos años los hijos les preguntarían cómo había sido, qué habían visto, qué aspecto tenía la luna, cayeron en una especie de somnolencia, una suerte de letargo del cual despertaron al rato, cuando ya las malditas cámaras de televisión habían dejado de transmitir, por la absurda razón de que costaba muy caro. Pues bien, eso que le sucedió a usted, no es de ninguna manera excepcional. Yo mismo, al descender, estuve a punto de dormirme. Estoy completamente seguro, y sé por qué se lo digo —afirmó el hombre—, sé muy bien de qué estoy hablando cuando sostengo que la luna ejerce una suerte de magnetismo, una hipnosis, captada a muchísima distancia, a años luz del lugar del cual se encuentra.

—Algo de eso creo haber leído en los poetas alemanes del romanticismo —acotó Equis, completamente bebido—. Jean Paul, Richter y toda esa gente.

—¿Eran astronautas? —interrogó, escéptico, Gordon.

—Algo así —contestó Equis—. Ellos también viajaban.

—Desconfío de los alemanes —declaró Gordon, suspicaz—. Siempre declaran estar adelantándose en todo, como los rusos. Es un complejo de inferioridad que estudiamos bien en nuestros cursos de Psicología del Espacio.

—Bella asignatura —aseveró Equis.

—De modo que no vio los cráteres —continuó Gordon. Los jamones chorreaban grasa, desde el techo, en una lenta destilación que a Equis le recordaba el paso del tiempo en un reloj de arena.

—¿De piedra? —preguntó por pura fórmula.

—No lo sé —respondió Gordon, de pronto entristecido—. No podíamos examinar las cosas en ese instante. Como animales depredadores, sólo podíamos robar y almacenar, almacenar y robar. El estudio se haría después, en esa infinidad de departamentos y secciones de investigación, que son como las celdas en un panal. Y nosotros éramos las abejas.

—¿Qué libaban? —interrogó Equis, interesado.

—Unos cráteres bellísimos. ¿Ha visto usted muchos ombligos?

—Más o menos —contestó Equis, para no comprometerse.

—Nunca he visto ombligos más hermosos.

—¿De qué sustancia son? —volvió a preguntar Equis, entusiasmado con la descripción.

—Allá, en la luna, uno se olvida de todo, amigo. De las tristezas del amor, del presupuesto de gastos espaciales, de la declaración de rentas, del lío de los hijos, de todo... Creo que hasta de la muerte —continuó. Se había puesto un poco solemne y Equis pensó que ese era el estado perfecto para un astronauta, para un hombre que ha vislumbrado la belleza del espacio y ha sido desterrado para siempre de él, condenado, desde entonces, a vagar por la atiborrada superficie de la tierra, en perpetua nostalgia.

—Lo malo —declaró Gordon, enseguida— es no poder volver.

—Alguien dijo (discúlpeme: no sé si fue Horacio o Virgilio) que siempre partimos del lugar donde hubiéramos sido eternos y felices.

—Al principio —continuó Gordon, que ya no lo oía— no pensé que fuera a sentir esta nostalgia. ¿Cómo iba a imaginármelo? Estaba demasiado emocionado y fascinado con lo que veía. Esa inmensidad inconmensurable del espacio silencioso; porque el espacio es casi mudo, ¿sabe?, pero un silencio que se oye. Sólo unos sonidos imperceptibles, como si de pronto una pequeña tuerca rodara, una brizna crepitara, una luciérnaga volara. Al principio, uno se asusta del silencio. Porque es un silencio con *espacialidad*, no sé si me entiende. Tiene que ver con la extensión y con el vacío. Hay una relación entre ese silencio y la inmensidad, como si para comprenderla fuera necesario una especie de recogimiento. Después, uno ama ese espacio, ese silencio. Ya no se puede vivir sin ellos. No hay otro ámbito apetecible. Me he divorciado de mi mujer. Estaba celosa. Tenía razón; las mujeres ya no me atraen. Mi cabeza está ocupada todo el tiempo en evocar, en reconstruir. Me han dado una copia de la filmación. La he visto muchas veces. No me sirve de nada. Mis recuerdos son infinitamente más bellos. Yo estuve allí y no pude quedarme. En la tierra, me siento perdido. ¿Qué son estos autos, estas casas, las aglomeraciones, los ruidos? ¿Qué son, al lado de aquella superficie como de hielo, pero que uno intuía blanda (no, ésa no es la palabra exacta) en lo interior... Esos desiertos plúmbeos. ¿Sabe usted que la luna está llena de mares y de desiertos? No son mares ni desiertos convencionales. Son otra cosa; otra cosa que no se puede describir, porque para hacerlo, sólo podemos usar las imágenes de las cosas que conocemos, y ése es otro orden, como Dios.

—Lo peor —continuó Gordon, completamente ensimismado— es saber que nunca volveré. ¿Entiende? *Nunca-más.* ¿No es horrible? Verla a la distancia y saber que no podré acercarme. Nunca llevarían a uno que ya viajó. Además, no me tienen confianza. Estoy gordo, bebo demasiado, me he divorciado, abandoné todos los negocios y hablo mucho. Para ellos, un mal viajero. Alguien que no soportó la experiencia.

—¿Cuál es el diagnóstico? —preguntó Equis.

—Psicosis del espacio —murmuró Gordon, y pidió otro whisky.

Completamente borrachos, se comenta en el pueblo que Equis y Gordon permanecieron varias horas en el bar, hasta que el dueño, harto de oírlos, los echó. Tenía que curar los jamones y estaba un poco exasperado; no le gustaba que hablaran mal de su whisky en su propia casa.

Salieron juntos —era de noche y el perfume de los campos de lavanda inundaba el aire— y recorrieron el pueblo, rumbo a la playa. Hablaban de cosas que nadie entendía y que posiblemente ellos desconocían. Pasaron frente a la única farmacia del pueblo y la mujer del farmacéutico, que se despertó con sus voces, comentó que hay gente a la cual ir a la luna le hace mal a las costumbres. Después, pasaron junto al horno de pan. El panadero, que los escuchó, se asomó a la ventana y gritó que a alguna gente con razón la habían expulsado de su país, lo malo era que iban a caer a otro. Gordon le tiró una piedra, pero tuvo mala puntería. («Desde que volví —le contó a Equis— tengo cierta dificultad para aquilatar el peso de las cosas. ¡En el espacio era tan distinto!» «Seguro —respondió Equis: la ingravidez.»)

A la vuelta de la esquina había una gasolinera cerrada. Gordon señaló los surtidores inmóviles y se rió: «¡Todavía hay gente que viaja con esto!». Equis le dijo que siempre había preferido andar a pie. «Exactamente —confirmó Gordon—. Cuando el pie se apoya en lo desconocido, hay una especie de estremecimiento metafísico.» Equis apreció la sabiduría de la frase.

Dando tumbos, hicieron el camino hasta la playa. Era una noche profunda y sin estrellas. Lejanas, se distinguían las formas de las rocas. La arena estaba desierta. No había viento. Ni un bote amarrado. En el cielo, espléndida y redonda, majestuosa, llena de luz blanca, en medio del silencio sólo estremecido por el leve rumor de las aguas, reinaba la luna.

—¡Es ella! —gritó Gordon, exaltado, corriendo por la playa como un niño. La miraba por todos lados, cambiaba de posición para observarla mejor, reconocía sus mares y sus lagos, sus desiertos de mercurio y sus cráteres magnéticos, sus opacidades y sus pozos profundos.

—¡Mírela, qué bella es! —le dijo a Equis, exaltado.

Equis, cauteloso, pensó que había viajes de los cuales no se podía volver.

Al lado del Ángel de la Luz que peregrina, en el segmento a la derecha que corresponde simétricamente con el que se ha descrito antes, también hay un círculo; en su interior, está representada la cabeza de un hombre que termina en llamas, y la palabra Sol; al lado, en otro círculo pequeño, la cabeza de una mujer, en cuya parte superior se apoya el cuadrante de la luna, palabra que acompaña a la imagen. También están las estrellas, que aparecen bajo su aspecto habitual y la leyenda: Ubi dividat Deus aquas ab aquis (Donde Dios divide las aguas de las aguas). Entre las estrellas se lee, abreviada, la palabra firmamentum.

En la parte inferior del tapiz, en el segmento que ocupa más espacio, debajo de la figura del Pantocrátor bendiciendo, se despliega el magnífico universo de las aves y de los peces. Entre las primeras, figura la inscripción: volatilia celi (aves del cielo) y entre los segundos: cete grandis (peces grandes). Las aves no se diferencian mucho de las reales: están en actitud de iniciar el vuelo, con las alas abiertas; sus picos son cortos y triangulares; todas miran hacia el cielo (que en este caso coincide con el círculo del Pantocrátor) y sus cuerpos parecen extremadamente ágiles. Debajo de ellas, sin separación entre la línea del mar y del cielo, sumergidos, se encuentran los grandes peces, y también los peces pequeños. Hay un gusano de mar, con el cuerpo enroscado, cuya negra cabeza apunta hacia arriba y otros animales acuáticos representados de forma menos realista. Uno tiene cabeza de perro, cuerpo de reptil y una gran caparazón roja, provista, además, de dos aletas. Otro tiene cabeza de cocodrilo, orejas de burro y cola de pescado. Ocupan gran espacio en este fragmento del tapiz, como si los monstruos del mar fueran la parte más importante de la creación. Al lado de ellos, los peces y aún el cangrejo rojo parecen muy pequeños.

Fueron los capitanes de barcos y los marinos antiguos no sólo quienes mejor conocían el universo —los cielos, las aguas y la tierra— sino aquéllos que podían contar al mundo cómo era el mundo, conservar sus leyendas, conocer sus mitos. Portadores de sabiduría y de viajeros, su memoria —y a veces: los textos que escribían— constituyó la fuente de conocimiento y una forma de difusión. A ellos había que recurrir cuando se deseaba conocer el nombre de las plantas exóticas, la utilidad de ciertas hierbas, las costumbres de los animales, el aspecto de los cielos en las diversas rutas, el ori-

gen de algunas palabras y de la mayor parte de las figuras que ilustran el pensamiento y la fábula en la antigüedad. Muchos siglos después, cuando los cielos, los mares y la tierra se hicieron menos misteriosos y la fantasía y los temores de los hombres se volvieron sobre sí mismos, siendo, entonces, más sospechoso el vecino que los animales nocturnos y más peligroso un general que el desborde de un río, la antigua y prestigiosa función de los capitanes y marinos desapareció. Dejaron de escribir y su tarea más importante fue el comercio y la guerra. Su memoria también dejó de impresionar a los hombres que no viajan. Sus viajes, ahora, son más seguros y más cortos. Menos interesantes, también.

Es posible que el anónimo tejedor del tapiz —si acaso fue uno solo— conociera las descripciones que marineros y capitanes hicieron de los maravillosos monstruos que según ellos habitaban el fondo del mar. Vistos sólo un minuto, a la luz fantasmagórica de un relámpago o en el desdichado momento en que el mástil se quebraba; divisados apenas en la inmensidad turbia de un mar lleno de ruidos que amenaza desde lejos, estas criaturas marinas no fueron nunca desterradas por completo de sus aposentos, en el fondo del mar. Sus apariciones —tan sorpresivas e imprevisibles— sembraban el pánico, aunque siempre hubo un arponero audaz que llegó a lanzar su instrumento a las revueltas aguas o alguien los dibujó en medio de la noche, siguiendo su perfil alucinado.

Los monstruos marinos del tapiz no inspiran temor. Se integran armoniosamente al gran sistema de la creación, junto a las aves y a las plantas. Son criaturas curiosas, pero no terroríficas o extravagantes, como la anfisbena o el mirmecoleón. Se deslizan por las aguas de una manera natural, sin aparentes deseos de sobresalir y los peces que las rodean no experimentan ninguna sensación de competencia o de peligro.

XVI: MORRIS, UN VIAJE AL OMBLIGO DEL MUNDO

La vida transcurría con normalidad, es decir: Equis intentaba pescar en las contaminadas aguas del lugar, sin decidirse a comer lo que pescaba, por temor al ácido sulfúrico, Morris terminaba su investigación acerca de la vida de los lepidópteros en las regiones montañosas y Graciela estudiaba los ritos de desfloración en las comunidades antiguas; Stanley, el perro de la casa, perseguía a los gatos y demás animales intrusos (especialmente: a las visitas), y Félix, el loro conversador, repetía, de manera cadenciosa, el verso que Equis le enseñó: *vegno del loco ove tornar disio* (que como todo el mundo sabe, no fue pronunciado por ningún habitante de la ciudad de B., sino por Beatrice, varios siglos antes de que los poetas de la metrópoli se pusieran a mirarse el ombligo), sin que nadie tuviera la delicadeza de preguntarle cuál era ese lugar al que deseaba volver, aunque Morris sostenía que se trataba de la selva amazónica.

Fue entonces cuando, inesperadamente, una carta de la metrópoli o Gran Ombligo, y que no había sido enviada por ninguno de los habituales corresponsales de Morris llegó a sus manos, informándole que debía realizar el viaje, por motivos que concernían estrictamente a su interés, aunque como la carta estaba fechada unos días antes, Morris no estaba seguro de que esos intereses siguieran siendo los mismos.

Una viaje al Gran Ombligo representaba algo muy delicado para él, ahora que vivía completamente tranquilo, ya que hasta sus viajes al correo del pueblo se habían suspendido, porque Equis y Graciela tenían la amabilidad de llevarle sus cartas personalmente.

Los preparativos del magno acontecimiento comenzaron esa misma noche. Morris estaba muy excitado y nervioso, los ombligos lo aterraban y no quería dejar nada librado al azar.

—Haremos un riguroso plan de mis movimientos en El Laberinto —informó a los amigos. De inmediato, distribuyó sobre la mesa gran cantidad de mapas de diversos tamaños y de hojas en blanco. En ellos estaban marcados los principales accidentes geográficos, las rutas, los peligros y acechanzas del viaje.

El primer problema era decidir el medio de transporte. El barco fue desechado de inmediato, porque Morris tenía horror a los naufragios, no sabía nadar y un abuelo suyo (decía, aunque Graciela nunca había oído hablar de ese abuelo con anterioridad) había muerto en un accidente de navegación, «precisamente en el Titanic», agregó Morris, ante el escepticismo general. En cuanto al avión, le causaba espanto, ya que detestaba el ruido de los motores y sufría claustrofobia, deseando ardientemente que el avión cayera, como única forma de tomar algo de aire y reencontrarse con los espacios abiertos.

—Preferiría ir a caballo, o a pie. No comprendo porqué hemos dejado de emplear el caballo como medio de transporte. Reconozco que es un poco más lento, pero incomparablemente más humano. Además, en los aviones me mareo —declaró Morris.

—Dado que los caballos han caído en desuso —sensentenció Graciela— no tendrás más remedio que ir en avión. Tengo unas pastillas apropiadas para los mareos. Puedes tomarte una esta noche y otra al emprender el viaje —le aconsejó.

Morris examinó el frasco con atención.

—Detesto introducir sustancias químicas desconocidas en el delicado metabolismo de mis glándulas y vísceras, pero peor es el mareo —dijo, y de inmediato procedió a tragarse una.

El loro gritaba: «vegno del loco ove tornar disio» y Morris pensó en llevárselo, para no sentirse tan solo en el Gran Ombligo, pero en el avión sólo podían llevarse animales enjaulados, y Félix le había dicho a

Morris en múltiples ocasiones que padecía claustrofobia, igual que él.

El segundo problema era la indumentaria. Morris detesta llamar la atención, su único deseo es pasar inadvertido en las ciudades, pero a veces, llevado por su excesivo afán de sobriedad, consigue exactamente lo contrario.

—De traje azul, chaleco, camisa blanca, corbata gris y zapatos negros, seguramente llamarás la atención de todo el mundo —le anunció Graciela—. Serás como un objeto no identificado paseándose por la avenida. La gente se volverá para mirarte, querrán saber de qué parte del pasado vienes y comenzarán a preguntarte si por causualidad en esa región no te has encontrado con alguno de sus antepasados —le anunció.

Morris está consternado.

—Será mejor que te pongas una camisa a rayas rojas (« ¡Detestable! » —grita Morris) y un vaquero.

—Los vaqueros me irritan la piel —protesta.

—Es preferible una eczema en la piel y no en el sistema nervioso —concluye Graciela.

—En fin —concilia Morris—. El deleznable avión me conducirá, probablemente (siempre que no se decida a chocar en los aires, no caiga a las contaminadas aguas de un río, no se incendie, no pierda el motor o una de las alas, como suelen hacer) al centro de la metrópoli, que como ustedes pueden apreciar en este mapa —y desplegó uno, lleno de líneas azules y rojas— tiene una estructura compleja, ya que de allí parten o llegan (nunca lo sabré) diversas avenidas, todas iguales, repletas de tiendas, restaurantes, oficinas, agencias de viajes, bancos de crédito, relojerías, academias de baile, inmobiliarias, discotecas, consultorios de belleza, saunas, mueblerías, peluquerías y bares.

—También hay casas —murmuró Graciela.

—Eso es lo peor —respondió Morris—. Edificios, apartamentos, unos sobre otros, en insoportable promiscuidad. Todos iguales, de modo que muy a menudo uno cree haber entrado a un lugar, y en realidad, ha entrado a otro. Una vez interrumpí un tierno almuerzo familiar, al abrir una puerta; el hombre, honesto padre de familia, trabajador irreprochable, pensando que era un ladrón, el que entraba, me arrojó un plato de comida hirviente a la cara. Creo que era sopa de pescado. Me había equivocado de puerta; yo vivía en un edificio exactamente igual al suyo, en la misma planta, con idéntico número y la misma disposición de las habitaciones, pero al lado. Es muy difícil sacar el olor a pescado de la ropa. Pues bien —dijo—. Una vez llegado a la ciudad, debo dirigirme a la calle Albión 386, según indica la carta.

—Será mejor que vayas en un taxi —sugiere Equis.

—Imposible —contesta Graciela—. No será capaz de atrapar uno libre en todo el día. No está acostumbrado a vivir en la selva.

—¿Los taxis son esos repugnantes objetos de dos colores y cuatro patas, conducidos por neurasténicos que emiten exabruptos todo el tiempo y que sirven para rezar adentro? —preguntó Morris.

—Quizás haya un metro que pueda dejarlo cerca —reflexionó Equis, consultando la guía.

—Jamás viajaré en ese artefacto —protestó Morris—. Hacen demasiado ruido, no se puede escuchar lo que hablan los vecinos, van siempre llenos de soldados en su día libre, mugen en las estaciones, son oscuros, insalubres, antihigiénicos y las puertas mecánicas funcionan mal. Cuando era chico, una mujer quedó atrapada. Del lado de adentro, era media mujer: sólo se le veía un brazo, una pierna y uno de los dos pechos. Del lado de afuera, los que esperaban en el andén, podían apreciar la otra mitad. No había modo de reconciliar ambas partes. La gente gritaba. No recuerdo si la mujer también. Fue horrible. Un zapato cayó al vacío. En esas circunstancias, varios de los presentes empezaron a jalarla para un lado, y los que estaban en el andén para el otro. Y los viajeros de los demás vagones se quejaban por la pérdida de tiempo; querían que el inmundo aparato funcionara de una vez, con mujer, media o sin ella; iban a llegar tarde, sus hijos los esperaban y además ellos habían pagado su billete para ir a tal o cual estación, no para presenciar aquel forcejeo. No subiré a uno por ninguna razón —concluyó Morris.

—Quizás encontremos un autobús que pase por allí —aventuró Graciela, mirando pacientemente la guía.

—Ten cuidado —advirtió Equis—. Me parece que con el cambio de gobierno, los nombres de las calles se han modificado.

—Yo soy del gobierno anterior —replicó Morris, que con el miedo al viaje se ponía conservador.

—Creo que iré a pie —agregó, enseguida—. Trataré de no mirar a los costados, ni hacia atrás: sólo hacia adelante.

—Es bastante lejos —dijo Equis—. Tendremos que hacerte un plano.

—Nunca he tenido la menor idea de cómo encontrar los puntos cardinales en una ciudad —advirtió Morris—. Creo que ya no existen, o es que cambian de lugar muy a menudo —agregó.

Entre Graciela y Equis elaboran un plano minucioso, lleno de líneas y de claves, de referencias visuales para que Morris no se extravíe.

—También podría ir dejando caer piedritas detrás mío —dice Morris— como hacía uno de esos insoportables niños de los cuentos con que tanto les gusta identificarse a los Intelectuales Famosos del Gran Ombligo. Hay algo obsceno en que un adulto proclame su semejanza con Wendy, Pinocho o Blancanieves.

—Ten cuidado con lo que dices —le advierte Equis—. El Gran Ombligo no perdona: persigue a los no afiliados.

APÉNDICE:

La metrópoli, según Morris

«La principal ocupación de los habitantes de la ciudad consiste en mirarse el ombligo. Ellos no se dan cuenta, porque sumergidos en uno de los pliegues más recónditos, que se ramifica en dos, y tiene, además, algunas rugosidades, han olvidado por completo que se encuentran en las profundidades de un ombligo, y no en el mundo. Dan muchos y diversos nombres a su actividad, y no podría acusárseles de disimulo o falsedad porque precisamente, una de las características de mirarse todo el tiempo el ombligo es no saber que se está mirando sólo un ombligo.

La operación de contemplarse el ombligo requiere estar adentro, y no afuera, por lo tanto, sólo quien no se mira el ombligo puede ver a quien lo hace, principio de toda soledad, afirma Morris.

Contemplándose todo el día los ombligos, los habitantes de la ciudad se preocupan por muchísimas cosas y no tienen nunca tiempo para preocuparse de las cosas del resto del mundo, que en el ombligo, no existen. Está el asunto de los pliegues, por ejemplo. Cada ciudadano que se mira detenidamente el ombligo (y todos los habitantes de B. lo hacen) comprueba que está lleno de pliegues, ninguno igual a otro, ni en su forma, ni en su profundidad, ni en su largo, ni en su ancho, ni en sus ramificaciones, ni en su textura. Hay ombligos con pliegues que recogen mucha basura y ombligos con pliegues muy superficiales, generalmente limpios. Ahora bien, el estudio de cada plieguecito, de sus intersticios, de su recorrido, de su forma, lleva mucho tiempo, sin contar con los numerosos accidentes que pueden ocurrir, como el de aquel individuo que se asfixió dentro de un pliegue, o aquel otro que se atragantó con el polvo. El que se mete en un pliegue del ombligo sabe cuándo se metió, pero difícilmente sabe cuándo ha de salir. Muy ocupados en estudiar la estructura de cada pliegue, de explorarlos en todo su recorrido, la imagen del mundo que se hacen los ciudadanos de B. es en un todo circular, cerrada, siendo ellos los principales habitantes, los investigadores, los dueños y los señores del ombligo. Convierten en grandes temas los pequeños accidentes de forma, coloración o textura que presenta, y así se mantienen grandes discusiones acerca de si conviene limpiar el ombligo con jabón o con polvos, si el ombligo debe llevarse cubierto o desnudo, si veintisiete pliegues es mejor que veintiuno, si los ombligos de forma cuadrada son más antiguos que los redondos o más modernos, qué profesiones estimula más un ombligo limpio y cuál es el mejor sistema para refrigerarlo. Los partidos políticos nunca tienen tiempo de pronunciarse acerca de las grandes cuestiones de este mundo, ocupados como están en sentar doctrina sobre las discusiones ombliguistas y en participar en los debates de los centro-ombliguistas (los que sostienen que todos los pliegues deben coincidir en la flor del ombligo), los izquierdo-ombliguistas (quienes afirman que pliegues zurdos son más importantes, por encontrarse en ese lado del cuerpo los órganos vitales) y los derecho-ombliguistas, aquéllos que opinan que se debe fortalecer la noción de ombligo en el mundo combatiendo y exterminando a cualquier ombligo imperfecto, fuera de lugar, bizco, peludo o chueco.

El tráfico de ombligos también ocupa gran parte de la vida de los ciudadanos de B., quienes han constituido una fuerte industria y un activo comercio, próspero, del cual se sienten muy orgullosos, aunque creen que inspira la envidia de sus vecinos, que se pasan la vida mirándose la cuenca del ojo. Sus laboriosas industrias son de tipo familiar: en ellas trabajan el padre, la madre, los hijos, los abuelos, si todavía viven, bajo las órdenes del hombre, pues se trata de una sociedad patriarcal. Este tipo de organización industrial tiene sus inconvenientes —opina Morris— ya que en general sucede que los defectos de los padres —torpeza, tacañería, egoísmo y vanidad— se encuentran aumentados en los hijos, que no sólo los heredan, sino que los estimulan con el ejemplo de los padres.

Cada ombligo es una fábrica, como cada familia es una industria. El hecho de que se trate de un pueblo acostumbrado al tráfico marítimo no ha ampliado, sin embargo, su visión ombliguística del universo, ya que cuando viajan, lo hacen en uno de los pliegues del ombligo, cuidándose muy bien de salir de él. Sin embargo, están convencidos de ser más inteligentes, cultos y patriotas que el resto de los ciudadanos del mundo, convencimiento que aumenta a medida que profundizan más en el conocimiento de su propio ombligo. No saben que los ciudadanos de C., que se pasan la vida mirándose los pies creen lo mismo, igual que los ciudadanos de Y., que dedican la vida a auscultarse las orejas mediante los espejos. «Puede ser que traficar con ombligos no sea una cosa muy bella», conceden a veces. «Pero da muchos beneficios y nos permite crecer como ciudad.»

Los diarios, las revistas, los libros y las películas que conciben los habitantes de B. son de carácter ombliguista: versan sobre las cosas que suceden en sus ombligos, largamente examinados a través de un microscopio. A las mejores descripciones les conceden premios y estimulándose mutuamente, continúan fabricando arte ombliguista. Los grandes poetas del ombligo siempre comienzan sus poemas con el pronombre *yo*, igual que los novelistas, y en el curso de sus obras nos informan acabadamente acerca de las peripecias de su ombligo, que aman y cuidan mucho, a tal punto que jamás salen de él.

El Gran Ombligo tiene forma aproximadamente ovalada, mírese desde donde se mire, y quienes penetran en él, como en el fondo de una mina, difícilmente consiguen salir. Atrapados como moscas, estiran en vano las patas, agitan las antenas, sacuden las membranas, pero los pliegues teguminosos del ombligo les impiden liberarse. En los bordes del ombligo crecen árboles, plantas, corren pequeños ríos, pero el humo de las fábricas y la densidad del aire, enrarecido, lo cubren de una pátina gris. Los ombligos difieren poco entre sí, pero quienes viven en su interior creen que son completamente diferentes. Se han publicado libros enteros acerca de estas diferencias, ensayos, investigaciones, pero como los habitantes de cada ombligo sólo leen los que corresponden al suyo propio, no sólo persisten en el error, sino que lo aumentan. Se esmeran en destacar las profundidades de cada ombligo, el notable dibujo de los pliegues, sus complejas ramificaciones; investigan la genealogía de cada ombligo, sus orígenes y las formas que adoptó en cada etapa de la historia.

Pero dentro del ombligo, se vive mal. Aunque suele decirse —con harta liviandad— que se encuentran en su etapa de mayor florecimiento, es una aseveración falsa e insostenible. Las calles del ombligo huelen mal, en invierno y en verano; la vegetación no crece, los edificios se derrumban y los horarios no se cumplen. Cientos de pordioseros mendigan en los intersticios del ombligo y hay niños desamparados y ancianos sin protección. El aire es irrespirable. Las calles están sucias. A menudo se ve a ombliguistas completamente locos que vagan a cualquier hora del día inmersos en su delirio como en un pantano. El movimiento del ombligo es polivalente y complicado, y estos espasmos suelen confundirse con la actividad, pero un análisis cuidadoso de tantas idas y venidas, de marchas y contramarchas permite asegurar que no todo lo que se mueve avanza, ni todo lo que se agita progresa. Lo que los ombliguistas llaman movimiento suele no ser más que convulsión. No sólo huelen mal, se sacuden espasmódicamente y están sucios; los ombligos son, además, enormemente ruidosos. Los decibelios suben hasta el máximo de la escala en virtud del estruendo permanente que producen los autos, los camiones, las motocicletas, las aplanadoras, las turbinas, las grúas, los autobuses, los trenes subterráneos, los trenes de superficie, las fábricas, los remolcadores, las pulidoras, los numerosos aparatos eléctricos, las sierras mecánicas, las madres y los niños. De modo que cuando un ombliguista quiere hablar con otro, debe gritar mucho. Varios ombliguistas hablando aumentan a tal punto el ruido general que quienes desean hablar después de ellos, abren la boca y fuerzan las cuerdas vocales en vano. Entonces los ombliguistas enferman de incomunicación y deben ir al psicoanalista.

La vida cultural del Gran Ombligo no es muy variada. Se publican numerosos libros que hablan del ombligo y los ombliguistas famosos editan sus memorias mucho antes de morirse, pero como se han pasado la vida mirándose el ombligo, sus memorias son sensiblemente idénticas, de modo que leyendo unas se las ha leído todas. Por otro lado, no se trata de memorias divertidas: cuentan cómo era el ombligo años atrás, qué forma tenía, cómo pasaban ellos sus días y sus tardes en el ombligo, cómo heredaron el ombligo de su mamá, cuándo se sumergieron en él y todas las cosas bonitas que han encontrado recorriendo los pliegues de su propio ombligo; pero como estas historias no varían mucho entre sí y además, las han contado muchas veces a los amigos, resultan francamente aburridoras. Si pudieran dejar de mirarse el ombligo es posible que fueran más interesantes, pero están demasiado atareados clasificando las grietas, las elevaciones y los pozos.

El animal preferido de los ombliguistas es el automóvil, a quien aprecian más y mejor que a los miembros de su familia (especialmente si son niños o ancianos). Compañero inseparable de sus días, goza de la protección del dueño y del cuidado de los médicos. Hay gente que no se separa de él ni para ir hasta el supermercado.»

XVII: DE LAS COSAS QUE LE OCURRIERON A MORRIS EN ALBIÓN

En el Gran Ombligo, a Morris le lloran los ojos, se le obstruye la nariz, los músculos se contraen y la cabeza le pesa, como si llevara un casco. Cuando entra a una de esas enormes tiendas de numerosas plantas donde se puede comprar cualquier cosa, desde un alfiler hasta un yate de lujo, desde goma de mascar hasta un enano de jardín, se siente como hipnotizado: vaga bajo la metálica luz de los fluorescentes entre estanterías llenas de productos, como un autómata recorre las hileras de mostradores repletos, escaleras mecánicas suben y bajan, nunca encuentra la salida y al final sólo quería comprar un pañuelo, pues se había olvidado de traer.

El cartel —grabado en mármol, con elegantes letras moradas— decía: Editorial Albión. Morris empujó la puerta y entró. A lo largo del pasillo había numerosos despachos separados por mamparas de vidrio. En los despachos había empleados y empleadas; algunos levantaron la cabeza, inexpresivamente, apenas lo miraron y continuaron con su trabajo. Ésta es la simpatía del Gran Ombligo, pensó Morris, y dispuesto a esperar, se sentó en un incómodo asiento que había contra la pared, que oficiaba de respaldo. Los empleados parecían muy ocupados; los teléfonos sonaban continuamente, y nadie los atendía, por lo que seguían sonando y esto aumentaba la ocupación de todo el mundo. Siempre es así en el Gran Ombligo; las personas se encuentran tan absorbidas que no se las puede interrumpir por ningún motivo, de modo que hay que esperar a que se desocupen para ocuparlos otra vez. Todas las revistas que había en la mesa enana, frente a su asiento, eran pornográficas, de modo que Morris no podía entretenerse con su lectura, ni tenía deseos de mirarlas, porque la pornografía es muy monótona.

Por fin una puerta se abrió y una mujer joven, cuyo rostro era tan inexpresivo detrás de la vitrina como fuera de ella, se acercó a él con paso desganado y Morris, de inmediato, se puso de pie.

—¿Qué desea? —le preguntó, con voz neutra, dispuesta a abreviar cualquier trámite.

Morris tragó saliva, detestó ese día, posiblemente los venideros, la luz opaca de los neones, en la oficina, el hilo musical que emitía canciones banales, las asépticas máquinas de escribir con su golpeteo monótono, la simetría de los mosaicos...

—Verá... —murmuró—. He escrito un libro... —dijo, entrecortadamente.

—Usted no es el único que ha hecho eso —respondió ella, con brutalidad—. Supongo que querrá publicarlo. Todos pretenden lo mismo. Si desea que lo examinemos, sin ningún compromiso de nuestra parte, que quede bien claro, debe llenar este formulario —dijo, asiendo uno de una carpeta, que tenía bajo el brazo—. Eso es lo primero. ¿Ha traído un ejemplar? Después de contestar estas preguntas, puede entregarlo, siempre y cuando conserve una copia. Le contestaremos en un plazo prudencial, que puede ser de dos semanas hasta un año. Tenemos mucho trabajo; cada día hay más autores y menos lectores. No nos hacemos responsables de los originales recibidos, si no hay copia. Por lo tanto, señor, le ruego que llene el impreso sólo en el caso de que tenga otro ejemplar, en su casa, apartamento u hotel.

Morris asintió. La mujer blandía el formulario como una amenaza y él pensó cuál habría sido su delito. Seguramente, un crimen inconsciente. Somos culpables de cosas así, muchas veces. Errores, accidentes, culpas fortuitas que olvidamos, quizá para no asumir nuestra responsabilidad. Pero la ley no perdona. La ley, la señorita, la agencia de créditos, el universo no perdonan.

Como Morris había asentido, la mujer le entregó —mirándolo con severidad— el impreso y en seguida agregó:

—Me quedaré aquí mientras usted lo rellena. Si tiene alguna duda, puede consultarme. —Y de inmediato se dedicó a mirar unos papeles.

Morris comenzó a llenar el formulario. Escribió su nombre, su nacionalidad, el lugar donde había nacido, la edad que tenía, los estudios realizados, el color del iris de sus ojos, del cabello, su dirección actual, su número de teléfono y de cuenta bancaria.

1. *Carácter de la obra.*—¿A qué genero pertenece? *a*) Novela; *b*) cuento; *c*) poesía; *d*) ensayo.

Morris vaciló. Dejó el bolígrafo en suspenso, confundido. La mujer lo miró.

—En realidad —explicó él—, no estoy seguro de poder contestar exactamente la primera pregunta. No sé muy bien si mi libro es una novela corta, un cuento largo o un ensayo narrativo. Para decirlo en otros términos: me parece que se trata de una obra. Con algunos fragmentos poéticos, para ser más precisos, dentro del carácter épico del conjunto. ¿Me entiende?

—Esta casa sólo edita novelas, cuentos, poemas o ensayos —dijo ella, con tenacidad—. Lo uno o lo otro.

—Me parece una triste, lamentable simplificación de la realidad —apostrofó Morris—. Desde antiguo, la épica y la lírica se han combinado, igual que la mímesis y la fantasía. Recuerde, sin ir más lejos, la Chanson de Roland, los Nibelungos, para no hablar de los poemas homéricos...

—Una cosa o la otra —confirmó la mujer, implacable.

Morris se resignó. Un secreto mecanismo hace que los más oprimidos sean, a su vez, los más represores. Sutil mecánica. ¿Quién había descubierto eso, Freud o Marx?

2. *Resuma en diez líneas el contenido del libro.*

Morris se quedó pensando, un rato, sin escribir.

—Me parece por completo imposible resumir el contenido de una obra de cuatrocientas páginas en unas pocas, escuetas líneas —declaró—. Como comprenderá, se perderían todos los matices, teniendo en cuenta que...

—Todos los ítems del formulario deben ser contestados —lo interrumpió ella, gravemente.

Morris escribió:

Manual práctico para extraviarse en la ciudad. Manual de circulación. Manual de paseos públicos. Instrucciones para evitar el cáncer. Cómo aprender el alemán en diez lecciones. Mi obra trata del todo. Del enorme todo y sus diversas partes. O sea: del todo minimizado. En ella se pueden encontrar aspectos de la vida del caballero Lanzelote del Lago, indicaciones para eliminar las hormigas del jardín, la vida de los lepidópteros en las montañas de Epanuro, la mitología clásica y sus proyecciones en la cocina francesa, los ritos de los aztecas y seis maneras de mantener la castidad en la Roma antigua.

3. *¿Cuál de estos ingredientes predomina en su obra? ¿Acción?, ¿sexo?, ¿política?*

Morris miró a la mujer y declaró:

—Creo que en mi libro predominan los elementos metafísicos, para decirlo de alguna manera. Aunque no es una tardía y epigonal manifestación del aristotelismo, ni tampoco podría definirla como tomista. ¿Qué hago?

La mujer suspiró. Los escritores eran como niños.

—¿Hay acción en su obra? —le preguntó, resignadamente.

—De alguna manera sí, la hay —contestó Morris—, si tenemos en cuenta, por ejemplo, que el mero hecho de tratarse de una obra, implica una acción dirigida a la elaboración de un producto, aunque éste no sea altamente comestible ni siquiera (es posible) consumible. Pero entonces, ¿cómo negar que hay una acción, y yo diría más: una acción lenta, penosa, llena de dificultades y quizá gratuita (el arte por el arte), dados los tiempos que corren?

—Si es así —dijo ella, con serenidad—, ponga que en su obra hay acción.

—En cuanto al sexo —prosiguió Morris—, ¿el formulario tiene preferencias? ¿Hay un sexo, digamos, privilegiado?

Esta pregunta pareció agradar más a la mujer.

—De un modo general —asesoró— le puedo decir que una obra de sexo femenino tiene pocas posibilidades de éxito, salvo, claro está, que sea directamente sentimental. Publicamos pocas obras de sexo femenino, pero no se nota, porque hay pocas escritas en él. El público siempre espera obras masculinas, y los críticos también. Las mujeres que leen prefieren las obras masculinas, es la tendencia de nuestra civilización.

—Creo que mi libro es andrógino —confesó Morris con melancolía.

Ella lo miró con cierta ternura: Morris había conseguido despertar —involuntariamente— su sentimiento maternal. Era una cosa que siempre despertaba en las mujeres. Él lo atribuía a su cabello color rojizo. En alguna parte había leído que muchas mujeres tenían la fantasía de un hijo pelirrojo. Eso se debía, seguramente, a que los chicos pelirrojos, en las películas y series de televisión, siempre eran inteligentes, simpáticos, ingeniosos y de buen corazón.

—¿De veras? —le preguntó con piedad.

Morris volvió a sentir una culpa pequeñita, que luego crecía y se manifestaba por todo el cuerpo, hasta los cabellos colorados. Pero a diferencia de las anteriores, esta culpa se derretía en un mar de leche, era una culpa bien recibida, mecida por unos brazos femeninos...

—Bueno, en fin, le diré —farfulló Morris—: Estoy completamente seguro de que mi obra es andrógina.

—Hay médicos para eso... —insinuó ella, protectora—. No se preocupe demasiado. Es preferible estar tranquilo y pensar en otra cosa. Conozco muchísimos casos como el suyo. No está bien que sea yo quien se lo sugiera, pero puede poner que su obra es de sexo masculino. Así por lo menos la examinarán. En algunos casos es preferible fingir...

—Pero, ¿no estaré cometiendo una traición a la esencia profunda, a la verdadera naturaleza de la cosa, atribuyéndole un sexo que no tiene?

—¡Bah! —respondió ella, que ahora parecía mucho más amistosa—. Todo el mundo se atribuye un sexo, ¿no es cierto? Nos pasamos la vida afirmándolo. ¿Se da cuenta? Gastarla así. La vida entera procurando convencer a los demás y a nosotros mismos de que poseemos un sexo, con identidad propia, y de que lo usamos, lo mimamos, lo blandimos con propiedad.

—Sí —dijo Morris—. Es una preocupación neurótica. Al fin, ¿qué más da?

—Eso mismo. La ambición de un sexo es neurótica.

Nos pasamos la vida en esa compulsión. Pero en fin, dado que ésas son las reglas del juego, dejémoslo así. Su obra, desde este momento, es de sexo masculino. ¿Hay política, también?

Morris meditó.

—Si tenemos en cuenta una acepción muy general de la palabra sí, en efecto, la hay. Desde que el hombre dejó de vivir solo en las cavernas, por un problema de humedad, seguramente, todo lo que es, es político, ¿no le parece? Ahora bien, como usted decía anteriormente, si el deseo de poseer un sexo es una necesidad neurótica, ¿qué me dice de la compulsión de poseer una política? ¿No es neurótica, también?

—En cuanto a eso —respondió la mujer— me parece que si bien cada día se habla más de política, se debe, fundamentalmente, a su escasez. ¿Notó por casualidad cómo todo el mundo experimenta una necesidad compulsiva de comer patatas cuando hubo una mala cosecha? Es lo mismo —agregó.

—Ahora bien —completó Morris—, si a medida que transcurre la historia (hacia adelante, hacia atrás o hacia el costado, como le venga en gana) los sexos se diversifican y hace ya muchos años Lawrence Durrell habló de los seis sexos de Alejandría, la política es una cosa bien distinta: sus registros disminuyen, como un piano que va perdiendo las teclas, al punto de podríamos decir, en la actualidad, que hay sólo dos: *una* política y la *otra,* cuyas diferencias, por lo demás, son mínimas. El tránsito, por otra parte, entre *una* política y la *otra* es harto frecuente, de modo que se puede vivir la mitad de la existencia proclamando *una* y ejecutando la *otra,* y los años que restan, al revés. Llamado también· fluidez de las ideologías.

4. *¿Piensa que su libro es comercial?*

En este caso, Morris no consultó a la mujer; escribió con mucha seguridad: «Como el jabón y las batidoras, depende del sistema de ventas».

5. *¿Es un libro optimista o pesimista?*

Morris se estremeció de disgusto, como cada vez que oía o leía esas palabras. Las detestaba.

—En cuanto a la quinta pregunta —le dijo a la mujer— me parece por completo innecesaria. En principio, por el mero hecho de existir, cualquier obra me parece optimista, si esa condenada palabra significa algo.

—No crea —le dijo ella—. A mí me parece lo contrario. La abundancia de manuscritos supone un pesimismo fundamental: demuestra que nada anda bien en el mundo. Sin tener en cuenta que la tercera parte de la humanidad es analfabeta, por lo cual sus quejas no se imprimen nunca. Ponga que su obra es moderadamente optimista. Es la mejor respuesta y no lo compromete a nada. Siempre podrá demostrar que en su obra hay una pequeña cuota de optimismo, aunque sea en la dedicatoria.

Morris estaba extenuado. Por fin terminó de rellenar el impreso y se lo dio a la mujer. Esto le produjo cierta exaltación.

—¿Qué le parece si cuando termine de trabajar nos vamos a tomar un refresco? —invitó a la mujer.

—Lo siento —dijo ella—. Tenemos prohibido salir con escritores. El editor dice que la neurosis es contagiosa.

En el segmento que está a la derecha, entre la representación del Sol (un hombre con una cabeza terminada en llamas) y la Luna (una mujer con un cuadrante de la luna sobre la cabeza) y la creación de las aves y los peces, aparece Adán, desnudo y con barba, poniendo nombre a los animales. Hay una leyenda: Adam non inveniebatur similem sibi (Adán no encontraba a su semejante).

En el tapiz, la figura de Adán (sobre un fondo de hilos verdes) se eleva de la tierra sembrada de flores. Alrededor hay animales diversos, que reciben su bautismo verbal. No sabemos, sin embargo, con qué nombre llamó al pequeño reptil alado a su izquierda, con el cuerpo lleno de rayas, ni qué palabras pronunció para convocar al caballo de cara de tigre, ni al ciervo alado. Porque Adán se hallaba muy solo (no había encontrado aún a su semejante).

Sólo las plantas y esos curiosos animales recibieron su mensaje.

EL VIAJE, XVIII: UN CABALLERO DEL SANTO GRIAL

Percival se acercó al lago y vio flotar botes de gaseosa. Era curioso cómo algunas palabras tenían dos significados, y uno no tenía nada que ver con el otro. Así, si bien estos botes estaban en el lago, y flotaban, eran una cosa muy distinta a las embarcaciones. No se detuvo mucho a reflexionar acerca de esto, porque estaba muy ocupado buscando, en las aguas llenas de desperdicios, a sus patos favoritos. Casi siempre aparecían, deslizándose entre los papeles arrugados, los envases de plástico, las cajillas estrujadas de cigarrillos, con algo digno en su desplazamiento, como si quisieran ignorar —pensaba Percival— esos residuos que afeaban las aguas y convertían al lago en un fétido vertedero. Aún así los veía aparecer, detrás de un arbusto, moviéndose en el agua con elegancia y discreción, sorteando con habilidad los obstáculos lanzados desde la orilla por pueblos bárbaros y aceptando la corrupción del lago como una consecuencia inevitable del deterioro de la vida.

Percival no entendía por qué la gente lanzaba desperdicios al agua, y algo mucho peor: a veces lo entendía perfectamente y entonces se ponía muy furioso, quería arremeter contra algo y contra todo. Los patos, entonces, dejaban de ser graciosos: parecían unos tristes animales decrépitos, pordioseros, sobreviviendo difícilmente entre la turba del lago. Las aguas adquirían una consistencia sólida, oleaginosa. Ya no se veía el diáfano transcurrir de los peces.

Percival no dejaba de mirar nunca los carteles borrosos, desfigurados por la lluvia y por el óxido que prohibían arrojar residuos al suelo, fastidiar a las aves, pisar el césped. Torcidos, desenraizados por alguna tormenta, parecían desolados espantapájaros cuya presencia nada significa. Nadie sabía el nombre de los árboles que crecían en el parque; por lo menos, ninguna de las personas que él había interrogado, señalando aquella rama, aquel tronco, unas hojas de delicada textura. Cuando interrogaba a algún paseante, éste se detenía, miraba alrededor como si por primera vez se diera cuenta de que estaba en un parque lleno de árboles y contestaba vagamente que podían ser ligustros, quizás araucarias, positivamente había una magnolia, pero era difícil encontrar a alguien que le explicara segura y alegremente el nombre de los árboles. Esto en cuanto a los visitantes ocasionales; los otros, los que Percival ya conocía de vista porque venían con frecuencia —por lo menos tanto como él— caminaban mudos y ensimismados, con la cabeza baja, absorbidos aparentemente en reflexiones muy profundas que impedían cualquier clase de comunicación. Más hombres que mujeres. Percival no sabía bien a qué venían, pero esa razón parecía estar oscuramente sobreentendida en algún misterio que flotaba en ellos mismos, en su aspecto, en alguna particularidad de los gestos. Él, en cambio, tenía motivos muy precisos para venir al parque. En primer lugar, estaban los patos. Le parecían enormemente graciosos y algo de esa gracia le hacía bien, lo trasladaba a una zona de armonía, de plácidas afinidades. Mirándolos sentía como si una dulce hipnosis fuera dominándole los sentidos, desplazando el presente hacia un pasado que él no conocía con la memoria ni con la razón pero que indudablemente había existido. En ese pasado muy antiguo él no sabía quién había sido, pero estaba seguro, en cambio, de que su afinidad con el agua del lago y con los patos era mucho mayor. Posiblemente se trataba de una sustancia; eso era: él, antiguamente, había sido una sustancia común a los patos y al agua, por eso ahora, cuando los miraba, evocaba ese dulce parentesco.

El segundo motivo, era el quiosco de la orquesta, en mitad del parque. Era un viejo quiosco circular, con una hermosa cúpula puntiaguda, rematada por una aguja muy fina y muy larga; a Percival le producía una sensación parecida a la de los patos. Las paredes del quiosco habían estado alguna vez revestidas de vidrios, pero ahora nada quedaba de ellos, sino el vacío, el hueco, destruidos por el tiempo y el granizo. Los marcos eran grises y Percival los encontraba hermosos, con esa rara belleza de las cosas que subsisten fragmentadas, vacías de finalidad, desprovistas de función. (Su madre, un día, le dijo que eso era la decadencia. No entendió bien el significado de la expresión, pero igual le gustó. Cuando ella le preguntó qué le había gustado, contestó que le parecía que la decadencia guardaba una relación con el tiempo. Pero no pudo precisar más, porque cuando pensaba en el tiempo se sentía enfermo, algo extraño le sucedía, se inquietaba demasiado. Pero no le cabía la menor duda de que las bellas cosas decadentes lo eran porque guardaban una rara relación con el tiempo.) Debajo del techo cupular, estaban los asientos reservados para los músicos. Los asientos no *estaban*, precisamente. Es decir: no se los veía con los ojos, porque ya no eran corpóreos, pero indudablemente estaban de alguna manera, porque en cuanto uno miraba el podio circular se daba cuenta de ellos.

Es decir: estaban en la mente de quien dirigía sus ojos hacia allí, ése era su lugar, ahora. Quizás al principio habían estado también físicamente. Su madre le había contado que cuando ella era niña, iba al parque a oír las veladas musicales de la orquesta. Entonces, bajo el techo, en el podio, los músicos ocupaban sus lugares: unos asientos de madera, finos y torneados, dispuestos de manera semicircular. La madre le contó también que cuando la orquesta terminaba, ella se quedaba un rato, paseando por el parque, de la mano de sus padres.

—Los asientos —dijo Percival—. Mamá, ¿los asientos quedaban?

Ella se esforzaba por recordar, pero no podía asegurarle nada en cuanto a los asientos. Suponía que sí, durante un rato, hasta que el empleado del parque venía y los retiraba, guardándolos en el depósito, junto a los baños públicos.

Pero todo eso acabó alguna vez. En algún momento

se suprimieron los conciertos en el parque, la orquesta se dispersó, ¿y los asientos? Percival prefiere creer que quedaron allí, bajo el techo cupular, expuestos a la lluvia y al viento y que lentamente se fueron disolviendo, deteriorando, hasta desaparecer, dejando el podio vacío.

Ahora, unas hierbas flojas nacían en los marcos, lamían la veranda. Los mosaicos del suelo estaban flojos y los niños los recogían, dejando al descubierto llagas de cemento. El quiosco servía de ágora a las palomas, Llegaban de todas partes y se reunían allí, instalándose sobre los hierros, la veranda, alistándose en la cúpula con orden y simetría. Contra el cielo grisáceo y lila del atardecer sus perfiles se dibujaban como figuras de piedra, como gárgolas en una catedral.

Sólo para romper esa armonía que lo fastidiaba un poco (*sólo* por eso), Percival a veces lanzaba piedras contra la cúpula. Entonces las palomas se revolvían (nada más que un poco), realizaban un corto vuelo, un simulacro de abandono del lugar y de inmediato volvían a ocupar sus puestos. A Percival le parecía que las palomas congregadas cumplían un rito, oficiaban un culto que él no conocía y como el paria, como el marginado, se volvía un poco rencoroso.

Cuando llovía sorpresivamente (y muchas tardes, en el parque solitario, el agua se dejaba caer como una cortina delicada y envolvente) Percival se refugiaba en el quiosco. Pero entonces estaba solo, porque en virtud de alguna extraña razón, cuando llovía, las palomas desaparecían, buscando quizá la protección de los aleros y de los techos de las casas. Dentro del quiosco, Percival, como un dios solitario en medio de la creación, miraba llover. Los árboles, mojados, lucían sus troncos oscuros; el viento arremolinaba las hojas caídas; el lago se erizaba, cubierto de pequeños círculos; desde la veranda podía ver inclinarse las ramas de los sauces, ligeras y casi transparentes; los álamos temblaban, volviendo a un lado y a otro las azoradas hojas y de vez en cuando, zigzagueante, un relámpago cruzaba el cielo, cuyo color fascinaba a Percival. Los escasos paseantes corrían, abandonando el parque como un campo de batalla sobre el que sorpresivamente ha caído un meteoro, y sus despojos volaban en medio de la tormenta: bolsas de papel que liberadas recorrían el aire, frágiles; hojas de diarios con sus noticias mojadas, tristes, disolviéndose en el agua; los botes de refrescos yacían entre el pasto como últimas granadas de una guerra para siempre perdida y los puestos de bebidas, dulces y globos eran tapados con fundas de nylon sobre las cuales el agua construía sus propios lagos.

Nadie se refugiaba en el quiosco, y Percival sentía que le pertenecía, con el arcaico derecho de los adelantados, de los descubridores, de los amantes. A lo sumo, hubiera permitido que su madre, alguna vez, compartiera su mirador, pero nadie más.

En medio de la lluvia que inundaba los desniveles del suelo y de los relámpagos que cortaban con sus luces extrañas la densidad del cielo color pizarra, Percival experimentaba otro de sus regresos al pasado: encontraba perfectamente *natural* su refugio en el quiosco, se daba cuenta de que estar ahí, contemplando en soledad el espectáculo de la lluvia y el erizamiento del lago equivalía a otra cosa, antigua, correspondía a alguna actitud que portaba en sus genes aunque su memoria la hubiera olvidado.

Por eso fue enorme su sorpresa cuando esa tarde encontró a alguien en el quiosco. Lo vio de lejos, al abandonar el lago, luego de estar mucho tiempo contemplando a los patos. No les llevaba comida, ni hablaba con ellos: inclinado sobre la veranda de hierro, salpicada de hollín, los miraba pasar, subyugado, recorría con ellos la isla vegetal, sumergía sus extremidades y admiraba esa relación de equilibrio y compenetración que agua de lago y patos mantenían, con *naturalidad*. Los había estado mirando, había comprobado el crecimiento de los cipreses en las orillas y ahora volvía, se dirigía al otro lado, rumbo al quiosco.

De lejos divisó la figura de un hombre que se elevaba en el centro del podio, mancha oscura que le hizo recordar a los profanadores de templos. Vaciló, pensó retroceder, volver al lago donde los patos seguirían deslizándose, y comenzar todo otra vez. Cuando algo no le gustaba, prefería olvidarlo por un momento y repetir los gestos anteriores, dar otra oportunidad al azar para que ordenara de manera diferente la cadena infinita de sucesos que desembocan en una realidad cualquiera. Si volvía, si retrocedía hasta el lago (como si no hubiera visto esa lejana figura que osaba instalarse en mitad del quiosco) y regresaba junto a los armoniosos patos, daría oportunidad al azar para combinar las cosas de manera diferente, y la próxima vez, cuando se dirigiera al quiosco, el intruso ya no estaría, todo volvería a ser como siempre. Posiblemente, no se trataba de que el azar se hubiera equivocado, si no que él había errado el tiempo. De haberse quedado unos momentos más con los patos, el hombre ya se habría marchado y al no verlo, habría sido como si nunca hubiera estado. Cuando sorpresivamente una gran piedra cae sobre la cabeza del transeúnte, no es el azar quien ha tenido la culpa; ha sido la víctima que no ha calculado bien el tiempo. Todo el mérito de haber sido, hasta ahora, amo del quiosco consistía precisamente en su habilidad para comprender el tiempo. Pero esta vez había fallado; esta vez había equivocado el momento de dirigirse a él y de ahí la pérdida del señorío. Por lo tanto, no le correspondía regresar junto a los patos, como si se hubiera tratado de un error en la cadena del azar, sino asumir su responsabilidad y enfrentar la situación nueva.

El hombre que estaba en el quiosco era relativamente joven (los hombres relativamente jóvenes para Percival eran aquellos que tenían menos de 30 años), de cabellos rojizos y labios anchos. Percival trató de dominarse, porque su fastidio por la invasión del territorio iba en aumento. Cuando estuvo cerca, dio unos rodeos disuasorios, para disimular que en realidad, su objetivo era el podio. (Percival ponía en práctica a menudo estrategias de la guerrilla para enfrentarse a las formas del poder adulto. Algunas las había adquirido intuitivamente, por su condición de oprimido; otras, las había aprendido leyendo o conversando con ancianos que recordaban sus épocas de luchadores.) Recogió una piedra que no hacía mal a nadie y la tiró lejos; arrancó unas hierbas, las olió, las mordisqueó, y escupió luego; siguió con la mirada el camino de unas hormigas; juntó unas botellas, buenas como proyectiles en caso de hostilidades. Por fin, se decidió a entrar al quiosco.

Morris estaba de pie; hacía un rato que había divisado al niño y lo miraba, con curiosidad. Era un niño de ocho o quizá nueve años, de cabellos color ceniza, finos y cortos, que apenas llegaban al lóbulo de la oreja; extremadamente delgado, tenía las piernas muy flacas, bajo el pantalón corto, de color indescifrable. Pero lo que más seducía a Morris eran los ojos del niño. Tenía unos ojos cenicientos, pero de ninguna manera apagados: ráfagas verdes y pequeños haces azulados se mezclaban en el iris de una extraordinaria vivacidad. Se movía con soltura y delicadeza, al mismo tiempo, más que como un acróbata, como un bailarín. Parecía estar en pleno dominio de cada uno de los músculos, vísceras y tendones de su cuerpo; pero aún más: lo que Morris intuía era que poseía otra clase de dominio, que ordenaba y configuraba el mundo a su alrededor.

—Buenas tardes —lo saludó Morris, dispuesto a quebrar el hielo—. Me llamo Morris. Estoy un poco cansado, y si no te molesta, me gustaría quedarme un rato aquí. Hay una vista muy bella: es un excelente mirador.

El niño lo miró sin un solo gesto de aprobación. Morris se sintió estudiado.

Al fin, el niño dijo:

—Éste es un lugar público. *Cualquiera* puede venir.

Y Morris entendió de inmediato que era una de esas afirmaciones que no son más que una penosa concesión a la realidad.

—Me iré enseguida; sólo estoy de paso. Además, pronto lloverá y no me gusta mojarme. ¿Cuál es tu nombre?

El niño parecía estudiar muy atentamente el aspecto de Morris, antes de realizar un acto de confianza como es entregar el nombre.

—Me llamo Percival —declaró finalmente—. La gente cree que los nombres no tienen ninguna importancia, por eso lo preguntan enseguida. Pero nombrar las cosas es apoderarse un poco de ellas. Me gusta mucho mi nombre. Me lo puso mi madre. Percival fue un caballero muy famoso. Pertenecía a la orden del Santo Grial; inspiró a un poeta llamado Chretien de Troyes que mi madre admira profundamente. Pienso que he tenido mucha suerte; con otra clase de madre, me llamaría

Juan, Alberto o Francisco. También Wagner le dedicó una obra a Percival. ¿Es usted un exhibicionista?

Morris se sobresaltó y de inmediato echó una ojeada a su bragueta, que no pasó inadvertida al niño. Pero todo estaba perfectamente en orden.

—Se lo digo —continuó Percival— porque el parque está lleno de exhibicionistas, violadores, asesinos y cosas así. Aprovechan la soledad y la falta de vigilancia. A algunos los conozco de vista, porque hay épocas en que vienen casi todos los días. Después desaparecen. Es por eso que hay pocas niñas en el parque; sus padres no las dejan venir. Por suerte, yo soy varón.

—No te preocupes —le informó Morris—. Hasta ahora, nunca he sido exhibicionista, por lo menos en el sentido en que tú estás usando la palabra.

—Si se va a quedar un rato aquí —le dijo Percival seriamente— será mejor que nos pongamos de acuerdo en cuanto al lenguaje. En cualquier momento empieza a llover y más vale saber quién es el que manda.

—No tengo ningún inconveniente en aceptar tu uso del lenguaje —transó Morris—. Es un uso muy bonito y menos arbitrario que otros que conozco. Hasta pareces un poco poeta.

—Es porque me llamo Percival —corroboró, halagado—. Mi madre es una mujer muy inteligente. *Inteligente y sensual* (dijo con afectación): no emplearía jamás una palabra que no sonara bien. Por eso vive sola. Es decir: vive conmigo. Los hombres, los demás hombres, quiero decir, no la entenderían nunca. Carecen de sensualidad. Si no es exhibicionista, ¿es escritor?

Morris miró el cielo cada vez más oscuro. De lejos, llegaba un húmedo perfume a madreselvas.

—Más o menos —respondió Morris—. En realidad —dijo, para no defraudarlo— escribo un poco. Pero no creo ser tan bueno como Chretien de Troyes.

—¿Huele usted las madreselvas? Hace tiempo que las estoy buscando y no sé dónde están. Deben esconderse detrás de algún seto. Pero no se confunda: también hay un perfume a glicinas, que viene del oeste. Al llegar al lago, se mezclan. (Y elevó su pequeña nariz, olfateando el aire sin ningún pudor, como un perro adiestrado.) Adoro los olores. Heredé el olfato de mi madre, que es muy agudo. Pero vivimos en un mundo de olores nauseabundos. Por eso tengo que venir al parque, un rato, todos los días. A desintoxicarme. No me extraña que usted no sea tan buen escritor como Chretien de Troyes. Era otro mundo, según me ha contado mi madre. Había una vocación de santidad que hemos perdido, sin sustituirla por nada. El parque está lleno de golfos que viven tirando porquerías al lago.

Algunas gotas habían comenzado a caer y Percival las recibió con las manos abiertas. Tenía unas hermosas manos de dedos muy largos y finos, blancos, y Morris las contempló largamente.

—En cuanto a eso, no hay ninguna solución. (Morris pensó a qué se referiría: ¿a las inmundicias del lago? ¿A la pérdida del sentido de la santidad?) ¿Le gustan los olores? ¿Ha notado cómo huele la madera mojada de los árboles? Mi madre me llevó a una exposición de sensaciones olfativas. Fue estupendo. Al principio creí que no iba a poder ir, porque estaba resfriado. Me resfrié bajo la lluvia, porque se me ocurrió desnudarme. Pero por suerte estar resfriado no era un obstáculo. Olí más que nunca en la vida. Había toda clase de olores y salí un poco excitado, como si me hubiera emborrachado. ¿Se emborracha usted a menudo?

—Pocas veces —dijo Morris—. Prefiero leer.

—Mi madre también —confirmó Percival—. ¿Conoce la saga de los Nibelungos? Ella lee en tres lenguas: alemán, francés e inglés. Ahora está aprendiendo castellano, para leer a Cervantes. Caramba, he visto un relámpago.

Al principio, llovía suavemente. Alcanzaba para sacudir las hojas y oscurecer el suelo. Después, ganó intensidad. El quiosco los protegía, pero había algunos agujeros en el techo, que goteaban parsimoniosamente. Formaban pequeños lagos en los desniveles.

—Ahora podrá oír croar a las ranas —informó Percival, conocedor—. Nadie supone que haya ranas escondidas entre la vegetación del lago. Pero hay. Sólo croan cuando llueve. No sé qué hacen el resto del tiempo. La vida de los animales suele ser muy misteriosa, ¿no le parece?

—La de algunas personas también —contestó Morris ambiguamente. ¿Qué hace tu madre? —le preguntó.

—Me ama —fue la sorpresiva respuesta de Percival, emitida con perfecta *naturalidad*. Estaba mirando hacia abajo, una lagunita que se formaba en un borde del quiosco.

—Creo que todos te amamos —afirmó Morris.

Él nada dijo, como si estuviera muy de acuerdo, o no le confiriera al asunto ninguna importancia.

—Hace poco —contó Morris— leí en un diario que en Moscú llovieron sapos y ranas. Me hubiera gustado mucho estar ahí. Los sapos y las ranas habían ascendido a las capas periféricas de la atmósfera cuando se formó una enorme nube de vapor. Luego, cuando la carga de electricidad precipitó el agua, los sapos y las ranas cayeron a tierra junto con la lluvia. Mucha gente se asustó; pensaron que era el fin del mundo y cosas así.

Percival lo había mirado con curiosidad, siguiendo su relato atentamente. Llovía y algunos relámpagos se dibujaban en el cielo, lejos.

—Ten cuidado, no te mojes —le dijo al niño.

—¿Está usted seguro de eso? —le preguntó, inquisidor—. La gente siempre cree que es bueno, sano, o algo así, contarle a uno una sarta de disparates. Le llaman a eso *fantasía* (hizo un gesto de asco). Lo maravilloso es *real*, alcanza con descubrirlo. Sólo los imbéciles tienen que andar por la vida inventando cosas para parecer muy imaginativos. Con seguridad se pierden toda la fantasía que hay en las cosas, pero ellos no ven.

—No te mentiría por nada del mundo —le dijo Morris.

—Está bien. Usted parece un buen tipo, aunque sin mucha fantasía, de esa de la que estábamos hablando.

El cielo había oscurecido y el viento hacía volar papeles, hojas, sacudía los techos del invernadero, izaba las semillas pequeñas.

Morris se quitó la chaqueta y cubrió al niño. Los cabellos, los delicados cabellos de Percival estaban completamente mojados. Los zapatos también. Eran unos pequeños zapatos deportivos, con suela de goma, blancos, pero estaban agujereados en varias partes. Dentro de su chaqueta azul, Percival parecía infinitamente pequeño y Morris tuvo deseos de abrazarlo. Cuando los mechones de pelo ceniza se le pegaban a la cara, mojados, él hacía un gesto rápido para despegarlos, porque la humedad lo incomodaba.

—En cuanto deje de llover —anunció Morris— te acompañaré hasta tu casa, si me lo permites.

Él, que había quedado en silencio, lo miró de pronto, con cierta tristeza.

—No —dijo—. Iré a ver a los patos.

Morris tuvo la sensación de haber interferido y esa certeza lo inquietó. Experimentaba una vaga sensación de culpa.

—Es casi de noche —aventuró—. Los patos están dormidos, seguramente. Yo me iré. Tendrás el quiosco para ti solo. Es un quiosco muy bello y digno de alguien que se llama Percival. De un caballero del Santo Grial. Inspirador de Wagner y de Chretien de Troyes, entre otros.

—Un pato apareció muerto hace unos días —dijo Percival, abrigado en la chaqueta de Morris y cada vez más sombrío—. (La inestabilidad de los niños y de los poetas, pensó Morris.) *Apareció* muerto, ¿entiendes, Mo? (Se sobresaltó. De pronto, no sólo el humor había cambiado, sino que ahora lo tuteaba y le había inventado un diminutivo.) Lo envenenaron. Le dieron comida envenenada. Yo lo vi. Estaba tendido en el suelo, muy largo y estirado, más blanco que nunca. Algunas de las plumas más cortas se mecían al viento. Pero él no se movía. Estaba *muerto*. Parecía muy inocente. ¿Sabes lo que te quiero decir? Que había sido sorprendido en su buena fe. Alguien le había lanzado una bola de pan. Y él había respetado los sobreentendidos. El sobreentendido de que él come pan y cosas menudas que encuentra en el agua y de que no pide nada a nadie. ¿Cómo iba él a saberlo? Y pasó unos dolores terribles. Yo lo sé porque me lo dijo el guardián. Me dijo que había sufrido mucho antes de morir y que la agonía fue muy lenta. Él también estaba muy triste porque quiere a los patos. ¿Quién puede tener algo contra un pato? Y no fue la única vez. Ya lo habían intentado antes, pero ese día el vigilante se dio cuenta de que las bolas de pan tenían un color extraño y las recogió en una bolsa antes de que los patos se acercaran.

Percival tiritaba debajo de la chaqueta y Morris se dio cuenta de que hacía mucho frío, de que había oscurecido demasiado y de que no conseguiría sacar al niño de allí. De todos modos, lo intentó:

—Percival —le dijo—. Es tarde. Voy a acompañarte hasta tu casa y si te parece bien, tomaremos una taza de café antes de llegar. Tienes los cabellos mojados y los pies también. Posiblemente tu madre estará muy preocupada. Cuando uno tiene una madre tan inteligente, tan sensual como para que lo haya bautizado a uno con ese nombre, no debe disgustarla: sería algo muy poco gentil de tu parte.

—No —respondió Percival—. Le dije que tenía un partido de fútbol en el colegio, que llegaría más tarde. Voy a quedarme con los patos —afirmó—. Ellos están solos. Nadie los cuida de noche. Ellos no molestan a nadie. Viven. Sencillamente: viven. Hasta que aparece un cretino lleno de bolas de pan envenenadas, monta guardia junto al lago y cuando nadie lo ve se las lanza. Y ellos comen porque nadie les ha dicho lo contrario; es una regla que cumplen desde el principio, comen porque así debe ser y no comprenden cómo un acto *natural* puede ser de pronto subvertido. Y sé muy bien qué quiere decir esa palabra.

Morris comprendió que estaba frente a un caballero del Santo Grial y que era inútil intentar disuadirlo. Era una decisión sublime, que olía a santidad y que nos devolvía a un pasado perdido en la memoria pero del cual, a veces, llegaban destellos.

—Yo escribo para las páginas y no para la voz —confesó Morris—. Sea como sea, me parece que esos patos son muy buena gente y merecen tu cuidado. Ahora, si tú me lo permites, me quedaré contigo. Cuatro ojos ven más que dos y no creo que un caballero, nunca, haya rechazado la ayuda de otro, cuando se trataba de luchar por una causa noble. Solicito tu autorización para quedarme.

Percival tiritaba, pero sonrió. Se acurrucó en los brazos de Morris y permitió que éste le frotara la espalda, para quitarle el frío.

—No te preocupes por la oscuridad —le dijo a Morris—. Tengo una linterna escondida en el hueco de un árbol. Brilla mucho, de noche. Y de lejos, los patos se ven porque son blancos.

—Confío plenamente en las providencias que tú has tomado —afirmó Morris—. Eres muy inteligente y sé que lo habrás planeado todo muy bien.

—Heredé la inteligencia de mi madre —le informó Percival, otra vez de buen humor—. Ella se casó joven, pero se divorció al poco tiempo. Mi padre, en realidad, sólo quería tener una cocinera y una amante a su lado, no a un semejante. Discutían mucho por eso y finalmente se separaron. Yo creo que Percival, en realidad, amaba a Lancelot.

—Es muy posible —confirmó Morris—. ¿Qué opina tu madre?

—¡Oh! Ella tiene una versión más tradicional de las cosas —respondió Percival—. En cuanto sus criterios hayan madurado un poco más, se lo diré.

La lluvia había cesado y ahora sólo algunas gotas que habían quedado detenidas en el techo caían pesadamente, golpeando el suelo.

—Me gustaría mucho que tú también fueras un caballero del Santo Grial —le dijo Percival a Morris, mientras abandonaban el quiosco. Él lo sujetó de la mano, lo alzó en brazos y suave, muy suavemente, lo besó en la boca.

Después fueron a cuidar a los patos.

A la semana siguiente, Morris envió una carta a Equis, desde el Gran Ombligo, que decía así:

Querido, Viejo Equis:

No he quedado retenido en las inextricables redes burocráticas del Gran Ombligo, aunque pudo haber ocurrido. No fui atropellado por el veloz automóvil de un ombliguense, porque he salido poco. Pero por el momento, no pienso volver. Es muy difícil explicarte, pues, este cambio de planes. Para ahorrar cualquier suposición, inquietud, desvelo, hipótesis, deducción, investigación y pesquisa (el ombligo es rumoroso), te diré, de inmediato, cuál es la razón: Me he enamorado perdidamente de un niño de nueve años. Se llama Percival. Tiene una madre encantadora, *inteligente y muy sensual* (son palabras de su hijo). Componemos un trío bastante singular, como imaginarás. (Cifra impar, cabalística y llena de referencias.) Percival es muy hermoso, tierno y sabio. Me gustaría que lo conocieras. Adoro su manera de vivir. Por el momento, estamos en la ciudad, pero marcharemos pronto a África: Percival quiere ver de cerca a las jirafas, que le inspiran mucho cariño y yo pienso que ese mundo le encantará (el pobre es europeo y nunca ha visto otra cosa). He gestionado un empleo en una misión investigadora. Me han aceptado como asesor en lepidópteros. Ella ha dicho que sí, también, muy complacida. Es una gran mujer, llena de curiosidad y de entusiasmo. Dará clases de idiomas. Partimos dentro de un mes, aproximadamente. El tiempo que resta lo dedicaré a realizar unos trámites indispensables, de modo que no podré pasar a despedirme, como quisiera. Me encantaría regalarle un telescopio a Percival, ¿serías tan amable de enviarme el que dejé? Te estaré muy agradecido. Percival es condenadamente curioso.

Te saluda:

Morris.

Con la misma fecha, dirigió otra a Graciela, concebida en los siguientes términos:

Mi querida Graciela:

Los dioses, que son inmortales, deciden el destino de los hombres. Esto quiere decir, en pocas palabras, que me he enamorado de un encantador niño de nueve años, llamado Percival. Ahórrame las referencias literarias del caso. Percival posee una madre (y jamás un verbo ha sido tan bien empleado), mujer inteligente, atractiva y sensible, con la cual vive desde que nació. El padre, que molestaba enormemente, ha desaparecido de escena hace tiempo: renunció a los inconvenientes de una esposa culta e inteligente, por la discreta comodidad de una mujer que cocina bien y cuida las plantas. Cada cual es responsable de sus elecciones. En conjunto, lo menos que puede decirse de nosotros es que formamos un grupo *pintoresco*. Hemos resuelto irnos al África. No puedo prescindir del inmenso placer de ver a Percival en un ambiente tan diferente. Estamos buscando un colegio donde pueda continuar sus estudios, pues si bien éstos no le han de aportar nada nuevo, le conviene un poco de disciplina. Él abominaría de este último comentario. Voy a leerle la carta, antes de enviártela, pues es un poco susceptible. *Maravillosamente* susceptible. Volveré a escribirte.

Hasta pronto:

Morris.

P. D. Ya ha leído la carta y dice que te enviará un hermoso dibujo de conejo. Adora dibujar y lo hace muy bien. A propósito, ¿serías tan amable de enviarme el cronógrafo que dejé en un cajón de la biblioteca? A Percival le encantará.

Al otro día de recibir la carta, Equis desmontó el telescopio instalado en el jardín de la casa de Morris, lo dispuso dentro de una caja y acompañó el envío con una breve nota que decía:

Querido Morris:

El infierno es no poder amar.

Equis.

Dos días después, Graciela encontró el cronógrafo de Morris, en un anaquel de la biblioteca. Lo limpió, porque su esfera tenía un poco de polvo, lo colocó dentro de un estuche y lo envió con unas breves líneas, que decían así:

Mi querido Morris:

Espero que a Percival le guste mucho el cronógafo. Creo que todavía funciona, aunque no lo he probado, pero tú podrás explicarle mejor sus secretos.

El infierno es no poder amar.

Graciela.

La partida de Morris trajo melancolía a la casa. Por otra parte, el invierno estaba próximo y Graciela y Equis comenzaron a hacer planes para abandonar la isla. Graciela escribía un ensayo acerca de la opresión de la mujer desde el siglo XIX a la Segunda Guerra Mundial y necesitaba desplazarse al Gran Ombligo, para consultar algunas fuentes. En cuanto a Equis, envuelto, como siempre, en líos de papeles, debía conseguir un trabajo y un permiso de residencia. De modo que resolvieron cerrar la casa y trasladarse al Gran Ombligo, abandonando, con pesar, la isla. Compartirían las venturas y desventuras de la existencia ciudadana como dos buenos amigos.

El segmento que está a la izquierda, entre el círculo que flota sobre las aguas (la creación del firmamento) y el otro, en el que se representan las aves y los peces, corresponde al nacimiento de Eva. En efecto, en el tapiz, el primer hombre, Adán, sostiene, a la altura de sus costillas a una mujer, más pequeña que él, pero sensiblemente parecida. La leyenda que acompaña a la ilustración, Inmisit Dominus soporem in Adam et tulit unam de costi ejus (Infundió el Señor un sueño en Adán y tomó una de sus costillas) refleja ese nacimiento. También hay plantas y flores, las mismas que rodeaban a Adán en su soledad sin semejante, y un árbol con las palabras lignum pomiferum, que recuerdan el Paraíso terrenal y el árbol de la ciencia del bien y del mal.

Este segmento cierra el círculo, alrededor del Pantocrátor y en su circunferencia se encuentra inscrita una frase: In principio Creavit Deus Celum Et Terram Mare Et Omnia Quoe In Eis Sunt Vidit Deus Cuncta Que Fecerat Et Erant Valde Bona (En principio creó Dios el cielo y la tierra, el mar y todas las cosas que hay en ellos y vio Dios que todas las cosas que había hecho eran muy buenas).

De este modo, el magnífico tejedor del tapiz ha completado la representación de los principios u Orígenes, ciñéndose a las Escrituras.

En los cuatro costados, en cambio, representó los meses del año y las tareas más importantes que se realizan en ellos.

EVA

Inscrita, desde que nací, en los conjuros tribales de la segunda naturaleza, igual que los iniciados, experimento la imposibilidad de escapar a las ceremonias trasmitidas por los brujos a través de los años, de palabras y de imágenes; luego de someterme a los ritos y a las convenciones, a los juegos, a las danzas y a los sacrificios, no puedo retroceder. El castigo, para la iniciada que huye, es el desprecio, la soledad, la locura o la muerte. Sólo resta permanecer en el templo, en la casa de los dioses severos, colaborar en la extensión de los mitos que sostienen la organización y el espíritu de la tribu, sus ideas dominantes y ocultar para siempre los conflictos que esta sujeción plantea. Cuando experimente una cierta repugnancia ante el gesto ritual, es posible ir a llorar al bosque o realizar abluciones matinales en el río.

(Fragmento de Eva, sus confesiones, **inédito.)**

SE NECESITAN DOS PARA NACER PERO UNO SOLO TIENE LA CULPA

De los diarios

Un juez de Dalry (Escocia) declaró ayer culpable de negligencia a una joven que quedó embarazada, pese a conocer la píldora anticonceptiva y tener acceso a ella. Christine, de veintidós años y madre de una niña de tres, demandó a un antiguo novio suyo como padre de su hija. El juez condenó al mecánico Robert McCurdie al pago simbólico de una libra semanal y recriminó duramente a Christine por su negligencia. Ésta se defendió diciendo que su médico le había aconsejado prescindir de la píldora anticonceptiva.

Graciela propuso a cuarenta escolares, comprendidos entre los siete y los doce años, que describieran a Adán y a Eva, en el Paraíso. Luego, recogió las respuestas:

Adán vivía muy felis entre los arboles y las plantas asta que llegó la Eva y le hiso comer la manzana porque quería matarlo y reinar ella sola.

Dios sacó a Eva de una costilla de Adán porque el se aburría un poco y tenia ganas de tener a quien mandar.

Adan estava muy tranquilo jugando con los peces y las plantas hasta que llegó Eba y empezó a incordiar. Tubo que darle unos golpes para que se portara bien pero igual se comieron la manzana.

El estava solo y no la pasava muy bien porque no tenía con quien havlar pero cuando nació ella fue mucho peor.

Dios había creado a Adán y lo había rodeado de plantas, de aves y de peces, pero necesitaba un semejante. Entonces Dios lo acostó, lo hizo dormir y de una costilla de su costado, creó a Eva. Y Adán se regocijó. Los problemas empezaron porque ella era un poco curiosa y le hizo caso a la serpiente. Por culpa de Eva las mujeres tenemos mala fama en este mundo.

A mí me parece que Adán era un buen tipo. Pescaba, cazaba y andaba por los bosques plantado plantas. Pero claro, ¿con quién iba a hablar? Entonces vino Dios y le dio unas pastillas para que se durmiera y le quitó una costilla que después creció y se llamó Eva. Eva era mujer. Adán era hombre. Entonces pasó lo que tenía que pasar. De ahí nacimos nosotros.

Mi padre dise que Eva era como todas las mujeres que se pasan el día conversando con las vecinas y viven fastidiando a los hombres para que les compren cosas, ropas y eso.

Adan se avurría un poco porque dios no le había dado juegos y cosas así. Solo peces y plantas. Entonces le regaló a Eva para jugar. Pero se pelearon.

La historia esa es un poco confusa, porque nadie entiende porqué a Dios se le ocurrió ponerle a Eva de compañera. Si en vez de ponerle una mujer le hubiera puesto a otro, a un hombre, como él, Adán la habría pasado mucho mejor. Pescarían juntos, se irían de paseo a cazar fieras y los sábados a la noche de farra.

Dios como era muy machista lo primero que hiso dise mi mamá fue inventar al hombre y después ensima dise que Eva le nasió de un costado que dise mi mamá que ojalá todos los partos del mundo fueran ashí las mujeres lo pasaríamos mas aliviadas.

Yo creo que el asunto del Paraíso es una metáfora, porque la información que brinda el Génesis no tiene visos de realidad. En primer lugar, no se comprende porqué Dios que habría Creado al Hombre a su imagen y semejanza hizo a Adán tan imperfecto que se aburría. En segundo lugar, la hipótesis de que le sacó una costilla es bastante increíble. ¿Para qué iba a usar este procedimiento una sola vez, dado que a partir de ahí siempre nacemos de vientre de madre? Todos son símbolos, me parece. Ahora bien: lo que simbolizan yo no lo sé muy bien, porque en la iglesia casi siempre nos hablan sólo del Nuevo Testamento, que es lo que a los curas les importa, por aquello de Pedro tú eres la piedra y sobre esta piedra asentaré mi iglesia.

Tareas a las que se dedicaban Adán y Eva.

Como segunda proposición, Graciela les sugirió que trataran de imaginar la vida cotidiana en tiempos de Adán y Eva. Algunas de las respuestas fueron:

Adán se ocupaba de cazar fieras leones tigres y obejas. Eva limpiaba la casa y hasia las compras.

Adán era aguerrido y valiente Salía solo de noche a espantar leones mientras Eva que era un poco holgasana dormía y después comian lo que El havia traido y con los cueros que sobraban se hasian la ropa que era muy dificil porque en aquellas lejanas epocas no havia ni luz eletrica ni máquina de coser. Todo era a mano.

Eva cuidaba la casa que era una gruta salvaje Adán se iba de pesca y volvía tarde pero ella siempre lo esperaba para cenar juntos y después lavaba los platos.

Cada uno se dedicaba a las labores propias de su sexo. Que eran: el hombre, cazaba, pescaba, encendía el fuego, exploraba los contornos y de vez en cuando se fumaba un cigarrillo. Ella se quedaba en el Paraíso, limpiando y cosiendo porque ahora ya no estaban desnudos.

Según dice mi padre a Adán siempre le tocaron las tareas más pesadas porque era más fuerte, más guapo y usaba mejor el arco. Dice mi papá que Eva era medio feúcha pero que se notaba menos porque no habia con que comparar pero ella se vengó hasiéndole comer la manzana y se indisgestaron.

Como a ella le quedaba bastante tiempo libre (solo tenia que esperarlo para limpiar el pescado y ponerlo a hervir) se dedico a andar entre los árboles y las serpientes y allí le vinieron los malos pensamientos.

Adan trabajaba duro para mantener el hogar plantaba patatas lechugas tomates arroz y de vez en cuando traía un ciervo o un león para comer mientras esa vaga de Eva no hacia nada porque ni iba al supermercado y además no tenía hijos que cuidar.

Entonces Adán le dijo: Si quieres estudiar las ciencias del bien y del mal estúdialas, a mí no me importa, pero seguirás limpiando la casa y planchando, que es tu deber.

Adán estaba muy ocupado; no solo debia cuidar del paraíso que Dios le había dado sino que además tenía que avastecer la vivienda. Ahora bien: además me parece que se encargaba de las relaciones públicas, porque él dialogaba directamente con Dios pero Eva no.

Adán era muy responsable y muy serio pero Adán no sabía que mientras él andaba por los campos de Dios, ella se dedicaba a charlar con la serpiente que la engañó porque era muy asthuta y ese fue un lio de mujeres.

Yo creo que después del asunto de la manzana ya no se llevarian muy bien pero no se podian separar porque en esa epoca no havia separación legal y ademas cada año nuevo tenian un hijo.

Acerca de las virtudes y defectos de Adán y de Eva, Graciela obtuvo los siguientes resultados:

Adán es: valiente (35); honrado (23); trabajador (38); inteligente (38); responsable (29); obediente (22). Su principal defecto es: escuchar a las mujeres (33).

En cuanto a Eva, se le reconoció sólo una virtud: bella (30). Un alumno dijo que era curiosa, pero que no estaba seguro de que ésa fuera una virtud o un defecto.

En cambio, la lista de sus defectos es más numerosa; 39 alumnos la juzgaron excesivamente curiosa; 33, charlatana y 25, consideraron que tenía mal carácter. 22, dijeron que era holgazana y 3, que era una frívola.

Después, los alumnos y las alumnas se fueron a jugar.

El círculo en cuyos segmentos se encuentran representados los aspectos más importantes de la creación está inscrito dentro de un rectángulo. En cada uno de los ángulos de éste hay un ángel soplando dos cuernos de donde salen los vientos. Las extremidades inferiores de los ángeles aprietan unos grandes cueros o pellejos que también encierran vientos. En el ángulo inferior derecho hay una leyenda: Auster *(Mediodía). Los ángeles que soplan y cabalgan vientos están rodeados de unos pequeños triángulos llenos de líneas sinuosas: así representó el antiguo tejedor la tierra y las montañas, por donde los vientos vuelan. Las odres son muy grandes y los jinetes (los ángeles) tienen alas. En estos fragmentos, todo indica movimiento: la expulsión del aire, los pellejos repletos, la cuidadosa disposición de los miembros del cuerpo de los ángeles, como si fueran a caballo. Bordeando el círculo de la Creación, al lado del Pantocrátor, esta inclusión de los vientos, en los cuatro costados, sugiere que en el universo, todo es movimiento, nada está quieto.*

EL VIAJE, XIX: LONDRES

El asombro es que las revelaciones sean oscuras.

EQUIS

En el sueño, había una pregunta que flotaba como un enigma, como aquellos acertijos que los reyes, enamorados de sus hijas, proponían a los pretendientes.
Príncipes, caballeros degollados en el insensato afán de resolver la oscura adivinanza que conservaba a las hijas para los padres.
En el sueño, Equis escuchaba la pregunta: «*¿Cuál es el mayor tributo, el homenaje que un hombre puede ofrecer a la mujer que ama?*»

Equis consiguió trabajo en una compañía de viajes, como responsable del autobús que traslada a mujeres embarazadas a abortar a Londres. No debe conducir, pues hay un conductor, sino acompañar a las pasajeras hasta su destino, dejarlas en la clínica, esperar que la operación termine y devolverlas a la ciudad. Realiza uno de estos viajes cada semana; aunque no pueda decir que está contento con su trabajo, no son épocas para elegir.

—Por lo menos —le dijo el gordo que dirige la compañía— en esto no hay crisis. Es el segundo trabajo más antiguo del mundo. Y va en aumento.

Fumaba un condenado puro que fastidiaba a Equis casi tanto como el estrabismo de sus ojos, que apuntaban en direcciones opuestas (uno hacia la ciudad, otro hacia Londres).

Cada semana, el gordo le entrega a Equis una hoja impresa con la nómina de las mujeres que debe guiar. Hay mucha demanda, y a veces el servicio no es suficiente.

La oficina donde las mujeres se inscriben para el viaje está en el centro de la ciudad. Es un edificio grande, pero descuidado y sucio. No hay asientos, y las mujeres deben esperar su turno de pie. Sólo hay un largo mostrador, con dos tinteros secos, donde el gordo José y uno de los empleados asesoran a las mujeres acerca de las características del viaje. El despacho no tiene luz de la calle y está iluminado por dos neones tristes y blancuzcos, adosados a la pared.

Las mujeres, nerviosas y llenas de ansiedad hacen cola para esperar que la oficina abra mucho antes de que el gordo (sudando y con el puro en la boca) aparezca, falsamente paternal y protector.

—¡Señoras! ¡Señoras! —grita, no bien coloca la

llave rodeado de mujeres como si se creyera un sultán. (¡Mezquino harén!, piensa Equis, pero no dice nada.)—. ¡No empujen! ¡No se pongan nerviosas! ¡Hay lugar para todas! ¡Esperen su turno! ¡Ya llegará el momento de estar en Londres y dejar allí su regalito! (Él mismo, con gran satisfacción, disfruta y festeja sus chistes.) ¡Cómo les gusta viajar a estas chicas! (Y guiña el ojo a Equis que manso, espera a un costado, mudo.) ¡No atropellen, señoras! ¡Hay lugar para todas! Y si no hay —grita, muy contento consigo mismo— viajarán dentro de cuatro o cinco meses. ¿Que no? ¿Usted no puede, señora? ¿Usted tampoco?

Se ríe estrepitosamente. Mira a Equis. —Son como niñas —le dice—. ¿Ve? Ahora se ponen a llorar porque les he dicho que algunas no podrán viajar hasta dentro de cuatro o cinco meses. Está bien, señoras, era una broma. Haremos lo posible para que todas salgan en este viaje y las que no pueden, quedarán para la otra semana. Así dejarán contentos a los mariditos.

La oficina huele mal pero a nadie le importa. Las mujeres se arremolinan junto al mostrador para recibir las hojas donde deben escribir sus datos.

—¡Y conste! —grita el gordo—. ¡A no mentir con lo del embarazo! Si alguna, al llegar a Londres, está de más de tres meses, que no se haga ninguna ilusión. No encontrará ningún carnicero que la opere. La oficina no se hace responsable de esos casos, ni devuelve el dinero del viaje. De modo que nada de mentiritas. A ver usted, querida señora. Me parece que su panza ya tiene un volumen considerable. Váyase. ¿Cómo? ¿Que sólo dos meses? ¡A otro perro con ese hueso! ¡A parir a los caminos! Yo no tengo la culpa. No fui yo quien se metió en la cama con usted.

El viaje en autobús suele ser triste y silencioso. Las mujeres no conversan mucho entre sí, prefieren dormir, o simulan hacerlo. Equis no intenta alegrarlas; tampoco las observa demasiado, una clase de pudor se lo impide. A veces, le gustaría hundirse en el asiento (viaja al lado del conductor) hasta desaparecer, borrando la posible cuota de responsabilidad que todos tenemos en cualquier crimen.

Sólo a veces, con muy poca frecuencia, alguna mujer que no consigue dormir se levanta de su asiento y con el pretexto de pedirle un cigarrillo se acerca hasta él. (Equis compra un cartón, antes de iniciar el viaje, pero luego se cohíbe y le parece que invitarlas colectivamente sería ofensivo, acentuaría ese angustiante sentimiento de despersonalización que las agobia, reunidas por una condición tan accidental como la que suele imperar en todos los ghettos.) Oscuramente, presiente también que el hecho de compartir una circunstancia venial y accesoria, pero que las somete a esta humillación (el hecho de estar embarazadas, como tener la piel oscura, haber nacido en el Canaán, ser exiliado, pelirrojo o manco), las vuelve hostiles entre sí, porque nadie experimenta simpatía por quienes comparten un estigma, una tara o un accidente.

El viaje es largo y poco atractivo. Equis conecta el hilo musical del autobús, muy tenuemente, con la esperanza de que las melodías, casi idénticas, provoquen un suerte de hipnosis favorable para conciliar el sueño. Pero la inquietud interior no se sosiega.

Durante las dos paradas que el autobús realiza para comer y beber, las mujeres tampoco conversan mucho. Toman agua mineral, algún refresco, abandonan la comida antes de terminarla y fuman innumerables cigarrillos. Equis también. Se sienta al lado del conductor, en una mesa aparte (el chofer come sustanciosamente, con apetito, hace observaciones groseras acerca de las pasajeras, el tipo de comentario dirigido a crear una camaradería que Equis rechaza con un silencio de plomo) y trata de rellenar las palabras cruzadas del diario. Viaja con una nutrida provisión de revistas y los periódicos del día, por las dudas de que alguna mujer quiera leer algo.

Con su pesado cargamento de mujeres, Equis llega a la clínica, una vez por semana. Allí, todo está pronto para actuar con precisión y brevedad: las mujeres van desfilando (se opera en varias habitaciones simultáneamente) y Equis las ve penetrar a las salas, con aspecto indefenso, tacha cada nombre de la lista, el recepcionista fuma, le pregunta por los equipos de fútbol de la ciudad, de vez en cuando le pide algún favor: que le lleve una apuesta para la quieniela deportiva, que le compre alguna revista pornográfica. Ritualmente, cada vez que una de las viajeras sale de la habitación donde ha sido intervenida, el recepcionista se acerca, falsamente solícito, sonriente, y les da unas palmadas de animación en la espalda:

—Todo ha ido perfectamente, señora, qué buen aspecto tiene, hasta otra vez, ojalá nos volvamos a ver.

La clínica tiene sus delicadezas: el recepcionista es un emigrante, habla el mismo idioma de las mujeres que vienen a abortar.

—Tengo buen ojo —le dice a Equis—. He visto desfilar miles de mujeres; sin embargo, a algunas las reconozco: sé que ya han estado un par de veces por aquí. A ésas las saludo especialmente, porque son clientes de la casa. Todas juran que no volverán, pero tarde o temprano regresan. Es la ley de la vida. Algunas, vuelven antes de los dos meses. ¿Qué me dice?

La muchacha llegó tarde, cuando todos los billetes para el viaje estaban vendidos. José había rellenado la lista y se la había entregado a Equis que de manera automática había recorrido los casilleros, de arriba a abajo, para verificar que ningún nombre figuraba dos veces o se había omitido una línea; ahora el gordo resoplaba, por el calor, fumando su eterno puro maloliente. La muchacha era rubia, tenía los cabellos muy cortos que se detenían a la altura del lóbulo, la piel de una blancura similar a la de los niños y unos bellos ojos azules, penetrantes. El color del vestido era sólo un poco más tenue.

—Por favor —le dijo a José—. Es absolutamente necesario que viaje esta semana. Ya estoy en el tercer mes y...

José le arrebató el certificado del médico que sostenía en la mano.

Hacía mucho calor en la oficina. Equis estaba apoyado en la pared, y deseaba ardientemente apagar los neones que con su luz láctea le recordaban la clínica en Londres, los feos hospitales donde había visto morir, casi abandonados, a viejos sin familia ni dinero ni memoria, las celdas de los manicomios, con sus orates tras los barrotes, como en el zoo.

El gordo le devolvió el papel sin ninguna contemplación.

—Tres meses y veinticinco días —proclamó, severo—. Imposible. Además, no hay lugar en este viaje. Ni en el próximo: el autobús ya está repleto la semana que viene también. ¿Cómo no se le ocurrió antes? (Volvió la cabeba en dirección a Equis que fumaba contra la pared, y buscando su complicidad o sencillamente: con su habitual sentido teatral, continuó:) Para meterse en la cama sí que tienen prisa. Pero después, como si nada. No puedo llevarla. Esto es por riguroso turno de espera.

Y como se imaginará, es la única clase de viaje en que jamás una pasajera deja su asiento a otra. ¿Qué hizo durante cuatro meses? No me dirá que pensaba tenerlo.

La luz le oprimía la cabeza. ¿O era que necesitaba lentes?

—Estuve buscando el dinero —contestó la muchacha con humildad—. No ha sido fácil. Estoy sin empleo.

—Esa historia ya la conozco, señorita —contestó José, brutal—. Pero este negocio es así. ¿Qué pretendía? ¿Pagar en cuotas?

El viaje de regreso no es más alegre: las mujeres tampoco conversan.

—Por favor —suplicó la muchacha.

José estaba muy irritado.

—Completamente imposible —dijo—. Váyase. Venga en otra ocasión, con más tiempo. El año que viene, con el próximo embarazo.

En Alemania, la Boyer solicitó a las autoridades alemanas, en numerosas ocasiones, cargamentos de trescientas o cuatrocientas judías embarazadas, destinadas a los laboratorios experimentales de la compañía. Era una buena medida para descongestionar los campos. «*Hemos recibido el cargamento solicitado*» —escribe el director de la empresa, en 1938—; «*le estamos muy agradecidos. Realizamos experimentos con un nuevo compuesto químico. Ninguna sobrevivió. Para fines de octubre están previstos nuevos ensayos. Necesitaríamos otro cargamento de trescientas mujeres. ¿Podrían facilitárnoslo, en las mismas condiciones que el anterior envío?*»

La mirada azul estaba levemente empañada.

Equis tiró al suelo la colilla, la aplastó con el pie. Hacía mucho calor. Tanto afuera como adentro.

Le dio alcance antes de llegar a la esquina.

Ella se volvió, aparentemente asustada.

—Disculpe —le dijo Equis, algo nervioso—. Quizás haya una solución. Puedo llevarla si usted ocupa mi asiento, junto al conductor. Yo iré de pie. O me sentaré en el pasillo, encima de mi maleta. En Londres se puede arreglar: hay otras clínicas. El servicio es el mismo. El precio, también. No creo que al conductor le importe: es la primera vez que pasa y se embolsará el dinero del viaje, extra.

Ella no contestó. Tenía los ojos bajos y el vestido era sólo un poco más tenue que la mirada.

—El autobús sale mañana —dijo Equis suavemente.

—No tengo adonde ir —confesó ella, neutramente—. Si en la compañía se enteran, ¿perderá el trabajo?

—No creo —mintió Equis—. La recogeré en el camino. Después que el autobús parte, no hay ningún control. Tengo una habitación, cerca. Si lo desea, puede quedarse. No es muy grande pero hay un sofá cómodo.

—Gracias —dijo ella, simplemente.

Acerca del nuevo cargamento de mujeres, el director de la Boyer dice, al mes siguiente, en carta dirigida a las autoridades alemanas: «*Las mujeres que nos enviaron esta vez estaban muy flacas y débiles. La mayoría padecían enfermedades infecciosas. Pudimos usarlas a todas, a pesar de ello. Ninguna sobrevivió. Esperamos nuevo cargamento en quince días. Con nuestro agradecimiento.*»

Cuando Graciela entró en la habitación, Equis estaba leyendo el diario y la muchacha dormía, suavemente, echada en el sofá. Graciela no hizo ruido y se dirigió a la pequeña cocina, escondida en un armario. Equis la siguió. Le explicó brevemente el caso. De inmediato, Graciela se puso a preparar un té. No hablaron más, para no despertarla. Ella había traído sólo un bolso de mano, que colgaba del respaldo.

Tomaron el té en silencio, y Graciela le tendió una carta de Morris, que había llegado a la mañana. Estaba dirigida a ambos, y contaba algunos aspectos de la vida en África. Pero más que de sus experiencias, Morris hablaba de Percival y de Eva, la madre. Había un apartado destinado especialmente a Graciela: le informaba acerca de la infibulación practicada a niñas y adolescentes en varios países, señalaba las zonas que Graciela podía visitar para recoger información y se ofrecía a acompañarla. La carta era bastante precisa. Describía cómo las mujeres (¿o niñas?, preguntaba Morris) al llegar a los doce años eran separadas de la comunidad (luego de la primera menstruación, generalmente) y conducidas a un lugar apartado, donde con una piedra, cuchillo o cualquier otro objeto punzante y filoso se seccionaba primero el clítoris y luego los labios de la vulva. Posteriormente eran cosidas, con hilo grueso o con puntiagudas espinas. La costura, hincada en la piel, cerraba casi por completo el sexo de las niñas (¿o mujeres?, preguntaba Morris). Las heridas tardaban una semana o dos en cicatrizar, y durante ese período solían infectarse, de modo que muchas morían durante la operación. Infibuladas. Las sobrevivientes eran devueltas a la comunidad, considerando que de ese modo estaban en mejores condiciones de ser vendidas en matrimonio, concubinato u ofrecidas en los mercados de ropas y de frutas. La infibulación —consignaba Morris— se repite, si la muchacha vuelve a ser vendida o si así lo desea su usufructuario. El procedimiento —decía Morris— reviste en algunas comunidades la forma de una ceremonia ritual, de ofrecimiento a los dioses. Los compradores pueden comprobar la reciedumbre de la infibulación antes de pagar el precio.

A Graciela el té se le había atragantado, cosa que le suele suceder cuando come muchas galletas.

—Delicado sistema —murmura Equis, burlón—. Autobuses de embarazadas, niñas infibuladas y el suicidio de las ballenas en las costas del Atlántico, donde no deberían ir, porque los peces están envenenados.

—Creo que iré —dijo Graciela—, jugando con el extremo de su servilleta de papel.

—Infibulemos —contesta Equis, que tiene la tendencia a repetir las cosas que le desagradan, como una manera de desembarazarse de ellas, o de acostumbrarse—. Morris ha sido muy cortés al invitarte —dice, de una manera ambigua que ella no sabe interpretar—. ¿No me ha invitado a mí? Podría dejar el empleo de guía abortista por el de infibulador oficial de algún pequeño reino. Clavaría las espinas con delicadeza, y luego las pintaría de diferentes colores, para incitar a los compradores.

—Por favor, si vas, no olvides aquel cinturón de castidad de tu tatarabuela, tan bonito, el de hierro, con púas. Y ciérralo bien, con dos vueltas de llave. Doña

Zacarías se pondría contenta, allá en su tumba, al saber que su querido cinturón le sirve a su nietecita.

Cuando Lucía despertó, le ofrecieron té y galletas. Equis puso un poco de música y luego se echó a descansar, porque el viaje, al otro día, sería largo y no muy cómodo. Pero no pudo dormir. Cuando cerraba los ojos, veía enormes espinas o soldados de uniforme.

Recogieron a Lucía en una calle no muy céntrica, antes de abandonar los barrios más habitados. El autobús se detuvo un instante y ella subió. Nadie dijo nada. Las mujeres estaban ensimismadas, con ese aspecto desvalido y rencoroso al mismo tiempo que impedía a Equis ofrecerles agua o cigarrillos. Ella le dio unos cuantos billetes al hombre que conducía, quien los contó escrupulosamente. Se los guardó en un bolsillo, junto a la camisa, y reinició la marcha. Equis le cedió el asiento, el suyo, y se quedó un rato de pie, mirando hacia afuera. No había mucho para ver. Calles iguales, con sus monótonas construcciones grises, destinadas a los obreros de las fábricas adyacentes. De los pequeñísimos balcones colgaban múltiples hilos llenos de ropa recién lavada. Las macetas tenían el mismo color rojizo de la tierra, reseca.

—Nunca fui al teatro, todavía, en Londres —le dijo de pronto Equis a Lucía. Con ella, se animaba a hablar. Era la primera vez que sentía verdaderos deseos de hablar en ese autobús.

Ella lo miró con atención.

—Te-a-tro —repitió Equis, como si hablara con una extranjera—. ¿Sabe lo que quiere decir eso? (La costumbre de no tutear a las mujeres le venía de su antigua afición a los novelistas del siglo XIX. Algo anacrónico, históricamente, pero, ¿por qué le iban a pedir más?).

Ella hizo un gesto afirmativo con la cabeza. Pero él no estaba muy convencido.

—Teatro —repitió—. Un lugar donde se representan cosas. Como la vida —dijo Equis—, pero con la diferencia de que uno está sentado, de frente, si es que no está arriba del escenario. En mis pesadillas a menudo sueño que no estoy en el sitio adecuado. Entro al teatro y en lugar de sentarme frente al escenario, estoy de espaldas o de costado. Soy el único que está en esa posición, y eso es algo embarazoso, ¿no cree? Trato de colocar mi butaca en línea con las demás, para quedar de frente, pero cuando lo consigo, inexplicablemente el escenario ya está en otra parte y otra vez me pierdo el espectáculo. Muy incómodo. Otras veces he comprado mi entrada, como todo el mundo, y comienzo a subir las escaleras, para llegar hasta mi asiento, en la galería, pero no consigo dar con la puerta de acceso. Las cortinas me impiden pasar, me confunden, subo y bajo por hileras interminables de escalones y nunca llego al lugar exacto. Mucho peor todavía: a veces aparezco en plena escena, como un actor más, pero con el inconveniente de que no sé la letra. Son sueños muy angustiantes. Yo los llamo los sueños de la representación. No es raro que los hombres que han inventado el teatro como un simulacro de la vida a su vez tengan pesadillas con el teatro, multiplicando así el juego de espejos: sueño que represento y en la representación a veces estoy dormido.

—En mis sueños, siempre soy una niña —dijo Lucía—. Es extraño: parece que no puedo crecer. Quiero decir que *soy* una niña aunque a veces no lo parezca. ¿Desde qué ángulo estamos mirando en los sueños como para vernos desde afuera, nuestras ropas, nuestro aspecto, si no hemos dejado de ser nosotros mismos? En el mismo sueño, muchas veces, ese ángulo me inquieta. He creído despertar, algunas noches, y sigo mirándome como si fuera yo y otra al mismo tiempo, y nunca sé si he despertado de veras o sólo después. Es difícil estar segura.

—En los sueños —dice Equis— hay pocas palabras. Es la diferencia fundamental con el teatro; si en los sueños fuéramos sordos casi nada cambiaría.

—No me gusta mucho el teatro —contesta Lucía—. Las palabras transcurren demasiado velozmente para mí. No comprendo con los oídos, soy muy lenta. A veces, quisiera detener la función. Cristalizarla, fijarla en el espacio y en el tiempo, de modo que, pudiera volver al discurso y analizarlo pausadamente. Pero es imposible interrumpir a cada paso. Y antes de que haya entendido en toda su dimensión y extensión el significado de una frase, otra ya ha pasado. Me parece que embrutezco.

—El viaje —dice Equis—. El teatro es como un viaje sin traslado. He recorrido mundos, sin moverme de mi butaca.

—Los sueños —dice Lucía—. En ellos no hay edad, no hay progreso. Las escenas se repiten, de un sueño a otro, con pequeñas modificaciones.

Equis mira a lo largo del pasillo. Muchas mujeres se han dormido, pesadas de angustia y de soledad.

—Curiosa carga la que transportamos —reflexiona Equis, en voz alta, para sí mismo—. No hay traslados inocentes. Mi madre debió bautizarme con el nombre de Caronte.

—Un imperceptible orificio en el condón —comenta Lucía, con voz melancólica— y existe el teatro en Londres.

—Deformación profesional —confiesa Equis—. Cuando camino por la calle en medio de la multitud pienso qué cantidad de accidentes pequeños, mezquinos dan lugar a las muchedumbres. Algo gastado y poco interesante. Transportes a Londres en autobús o en avión, camiones cargados de mujeres del campo a las oficinas de la Boyer, increíbles nacimientos en úteros aparentemente clausurados, desapariciones en masa, las sinuosidades del azar en un condón. Una función que no cesa. Salimos y entramos a escena, en momentos poco oportunos, para un público que está distante y no se ve. Pero improvisamos la letra, y ése es el único aliciente. Y la fuente de la angustia. Miles de condones diarios de los cuales se desliza una gota imperceptible. Para continuar la cadena del azar. La rompemos con un angustioso sentimiento de intervención, de haber transgredido sus normas ocultas, como la serie de oraciones y y súplicas codificadas que debemos ofrecer, a cambio de un favor de la divinidad. *Ésta es la cadena de la for-*

tuna milagrosa. Ahora ha llegado a usted. Si sigue estas instrucciones en el plazo estipulado, todos sus deseos se cumplirán. Tendrá salud, dinero y triunfará en el amor. Pero no debe cortar la cadena. Teresita, que la cortó, sufrió un ataque al corazón. Pedro, que se olvidó de seguirla, perdió el empleo. Antonio, se rompió el brazo. Juan, en cambio, que mandó las cartas a tiempo, ganó un millón a la lotería. Haga siete copias de esta carta, y envíela a siete de sus amigos, en el plazo de tres días a partir del momento en que la haya recibido. Mande un cheque de diez dólares a nombre y dirección de la persona que figura primera en esta lista. Y ponga sus datos al final de la misma. En seis semanas, recibirá muchos cheques por valor de diez dólares cada uno. Si no quiere participar en la cadena, no la rompa, por favor: envíe las copias, igual, pero no mande el dinero. De lo contrario, graves peligros le acecharán. La cadena del condón, la del azar.

Pasaron por el gran puente de hierro que cubre un antiguo río, casi agotado, por el monumento a una o varias guerras (atrás, se veían las construcciones de piedra del cementerio) por la fuente que mana agua de colores.

—Soy un hombre sedentario —dice Equis—. Sin embargo, me he visto obligado a viajar de manera casi permanente, de modo que puede decirse que los viajes son mi segunda naturaleza. Le diría, con el poeta, que las ciudades son estados de ánimo.

—No he salido de la ciudad. Es la primera vez que viajo. Tengo un poco de miedo. ¿Las niñas no viajan?

—Si nos quedara tiempo, la llevaría a recorrer un poco las calles y los viejos cafés. Las ventanas con visillos. Los simétricos museos, donde el tiempo no transcurre. En los museos está excluido el azar, es decir, el condón. Dicho de otro modo: el azar se ha integrado a esa fijación del tiempo y del espacio que son las telas. Un azar convertido en causalidad. Es lo mejor que se puede hacer con el azar, si consigue atraparlo. Pero no tendremos tiempo. La duración del viaje está matemáticamente calculada como para que no se pueda hacer más que entrar y salir de la clínica. Hay unas pocas horas de descanso, en el hotel. Pero no puedo ausentarme: debo controlar que las viajeras no se escapen. Soy el celador. El guardián oscuro. Pero volveré.

—No. Nunca más permitiré que el azar se deslice en una gota. Pero, ¿hay algo que yo pueda impedirle? La humillación no es sólo este autobús, el viaje silencioso, la clínica con su rápida intervención. La humillación es saberse víctima del azar, otra opresión. Jamás, jamás volveré a acostarme con un hombre. A través de ellos el azar entra en nuestras vidas, sometiéndonos. Venenosa intromisión. Jamás. Jamás. A través de ellos la esclavitud se propaga, se difunde, nos encadena. Jamás, jamás.

Equis calló. Entraban a la parte de la ciudad sin árboles, como hombres sin falo.

El regreso lo hicieron a oscuras y sin hablar. El conductor prefería viajar sin encender las luces del pasillo y la mayoría de las mujeres dormían. En el interior del autobús, sentado sobre su maleta, Equis sentía un olor a culpa y a rencor que le atenazaba la lengua. Quizá, también, los oídos. La muchacha había apoyado sus dos brazos en la falda y sostenía con los puños cerrados su bella cabeza rubia, mirando hacia abajo, en dirección a los zapatos. No había querido quedarse con las suaves pantuflas que la clínica regalaba a sus clientas. Hospitales especiales para heridos de guerra. Hospitales militares, para prisioneros políticos. Selvas apropiadas para arrojar opositores incómodos. Naves de locos. La nave, sustituida por el manicomio. Cárceles hediondas donde encerrar a los transgresores. Clínicas privadas.

—¿No quieres un vaso de agua? —le ofreció Equis, con voz entrecortada.

Ella lo miró con sus suaves ojos de gacela azul y dijo que no con la cabeza. Equis tuvo la insoportable certidumbre de que no iba a olvidar más esa mirada, en el autobús oscuro, con las solas luces del tablero iluminándolos. Hay recuerdos así, aparentemente sin importancia. Escenas que se fijan en la memoria sin que haya intención previa de retenerlas. Porque como en los sueños, Equis la miraba y se veía a sí mismo mirarla y de lejos miraba a los dos.

Cuando bajaron del autobús, Lucía no quiso aceptar su compañía. Le dio la mano (una dulce mano larga y rubia, pálida), le agradeció la ayuda, le prometió que un día vendría a visitarlo. Que jamás, jamás. Equis la miró irse con expresión sombría. Nada sabemos de los seres que amamos, salvo la necesidad de su presencia.[1]

Se metió en un bar, donde no había mujeres, y pidió una cerveza. ¿Qué hacían las mujeres cuando estaban tristes? ¿A qué lugares iban? ¿Dónde ventilaban su melancolía? Había pocos lugares públicos para las mujeres: seguramente debían consumir su estado de ánimo en soledad, junto a los trastos y la máquina de lavar. ¿Quién había visto alguna vez a una mujer, de su edad, aproximadamente, con aspecto parecido —es decir: sin un aspecto muy definido— entrar a un bar de luces violáceas, pequeño y maloliente, acodarse en el mostrador de plástico y pedir una cerveza, con naturalidad, y ser atendida con naturalidad, sin despertar el recelo o la sospecha o la curiosidad, sin que un entrometido cualquiera, gordo y melifluo se le acercara, para interrumpirla o provocarla? Sólo las viejas, las borrachas o las mujeres de la vida. Equis sintió un estremecimiento cuando interiormente pronunció esa expresión. Rara ambigüedad: quizás había un secreto homenaje en esa atribución aparentemente despectiva. Ser mujer de la vida quería decir que no ser mujer de nadie, ni de Equis, ni de la cocina, ni de los niños. Pertenecían a la vida, que es a quien pertenecemos todos, es decir, los hombres. ¿Qué haría una mujer, con su tristeza? Había

1. «Entre nosotros había una perfecta coincidencia —pensó Equis después—: Yo la amaba por cosas que sólo tenían que ver conmigo; ella no me amaba por cosas que sólo tenían que ver consigo.»

códigos y ritos para muchas cosas y un hombre triste entra a un bar, pide una cerveza, mira deslizarse las bolas plateadas de los bumpers, de soslayo encuentra su perfil en el espejo y hace como que conoce a ese intruso, a ese huésped del reflejo, es posible que termine la noche con cualquier mujer de la vida, eyaculando tristezas en otro culo, porque para eso tiene falo y paga, ¿dónde eyaculan las mujeres, en qué culo se descargan? ¿Adónde había ido Lucía? Jamás, jamás. *No están previstas expansiones*, rezaban las instrucciones del viaje a Londres. Llegar a una ciudad sólo para meterse en una clínica, salir y regresar. Nunca podría decir que había viajado a Londres. Se estaba convirtiendo en una declaración sospechosa. Cuando una mujer, en una reunión, decía: «Hace poco estuve en Londres», los ojos se volvían hacia ella, desconfiados. El viaje oscuro. Y no había tenido tiempo de invitarla al teatro, porque las expansiones no estaban previstas.

En Grecia, a las adúlteras, se las lapidaba.

Volvió a la habitación oscuro, sombrío y encontró a Graciela ordenando sus cosas. Finalmente había decidido irse al África, con Morris, a hacer un reportaje sobre la infibulación. Llevaba su filmadora, unos vaqueros, un cuaderno de apuntes y poco más.

—La hoja de demandas de empleo me decidió —le dijo Graciela—. Hace tres meses que estamos aquí y el único empleo que encontré es vender cosméticos puerta por puerta. Hay gente que ni se entera de que los cosméticos han pasado de moda. «*Señorita. Se necesita. Buena presencia. Dotes de convicción. A porcentaje.*» También hay anuncios donde se piden camareras, ya sabes. No se me da la gana estar calentando la polla a nadie. Podría haber hecho strip-tease en un espectáculo de travesties, en el distrito quinto. Parece que vestida de varón y con galera resulto muy seductora, ¿tú qué opinas? (Ensayó unos pasos de tango, aferrada a una escoba.) Hay gente que muere por ver una corbata entre dos senos. Percival te ha escrito una carta. Incluye un hermoso dibujo de jirafas paseándose al sol. He empeñado la radio, el ventilador, el bendito reloj de mi abuela, la plancha a vapor, el catalejo de Morris y tu mah-jongg de marfil. (Lo siento, pero podrás rescatarlo con tu próxima paga. Aquí está el comprobante. No lo pierdas.) El resto me lo ha girado Morris. Parece que encontró uan mariposa rarísima. Iré en barco, sale más barato y tendré oportunidad de contemplar el *de-li-cio-so* paisaje de la costa. ¿Quieres venir? Morris dice que no es imposible encontrar lugar para todos. Es decir, tú también.

Equis la miró inexpresivamente.

—Creo que esta vez me quedo —murmuró.

Graciela se acercó y lo besó en la frente.

—Hay viajes de los cuales no se regresa —le insinuó, con delicadeza.

EL VIAJE, XX: UNA NAVE BLANCA

Equis acompañó a Graciela al puerto, dos días después. No llevaba equipaje y se había cortado un poco los cabellos, como cuando la conoció. Era un barco de tamaño medio, completamente blanco, y eso a Equis le pareció de buen agüero: recordó la vieja superstición que abunda entre los pueblos marinos sobre el barco blanco. Antiguamente no se pintaban las naves de ese color por miedo a que fueran descubiertas y cayeran en manos de piratas o de enemigos. Pero los antiguos marinos de Nueva Inglaterra creían que las barcas blancas nunca se hundían, porque la luna las protegía. Se dice que un viejo capitán inglés, nacido en Liverpool y que comandaba una flota entera, en el siglo XVIII, fue sorprendido por un enorme temporal, a la altura de las Islas Molucas. Allí sopla terriblemente un viento llamado monzón del Sur. El capitán dio orden de rizar el trinquete, arriar la mesana y barloventear. Pero la vela se rajó y hubo que arriar la verga. Entonces, en medio de la tempestad, el capitán mandó pintar el timón de blanco. Cuenta la leyenda que súbitamente el temporal amainó y una grande, luminosa luna apareció en el cielo, acompañando la flota durante el resto de la travesía.

A Equis le pareció muy bien que el pantalón de Graciela fuera blanco, y las sandalias también.

—Entonces —le dijo— no harás el viaje sola. La luna te acompañará.

Le dio una brújula, de recuerdo, y le dijo que le entregara a Percival una vieja moneda de plata que conservaba desde hacía mucho tiempo: pensaba que alguien que hacía unos dibujos tan hermosos de jirafas debía tener, también, una moneda así.

Durante varios días, Equis intentó encontrar a Lucía recorriendo las calles, sentada en un banco de la plaza, tomando café en un bar o visitando un museo. Eran los lugares donde hubiera preferido hallarla, por simetría, pero oscuramente sospechaba que la búsqueda sería infructuosa: sólo en nuestra imaginación o en los sueños los seres que amamos ocupan el lugar que les corresponde.

—Es difícil encontrar a alguien con tan pocos datos —le dijo el hombre del bar, después de servirle una cerveza—. Debería tener una foto o el apellido, por lo menos. (Muchachas así hay por todas partes, pensó el hombre. ¿Por qué se le había ocurrido justamente ésa? ¿Por qué no se conformaba con otra? ¿Qué tenía de particular? Una muchacha joven, como tantas, ni fea ni bonita, según la descripción, perdida en los suburbios, metida en algún oscuro cuarto de pensión, comiendo mal y durmiendo poco, sin empleo, que terminaría en la barra de algún sucio café, si no en algo mucho peor. Pero cada cual con sus manías. A él le gustaban los caballos de carrera, que eran todos diferentes. *Faisán. Emperador. Junior. Heliogábalo.* Ahora bien: había gente tan torpe que era incapaz de distinguir uno de otro.) ¿Vio el diario? —le preguntó.

Equis dijo que no. Había temporadas en que su afición disminuía y prefería ignorarlos. No leer los diarios era como desafiliarse del mundo, como una rebeldía impotente pero digna.

— Mire —agregó el hombre que estaba en mangas de camisa, fumando un cigarrillo negro. Y le tendió el diario como una concesión, como la ayuda desinteresada pero displicente que se le presta a un desconocido (ni siquiera un amigo) no por generosidad, sino por sabiduría—. Tenga cuidado —le advirtió—: No me arrugue los pronósticos de las carreras.

En la primera página del diario, en huecograbado, Equis vio a un hombre ya mayor, a una mujer mayor que él todavía, cubierta por un abrigo y entre los dos, como el juez de una ceremonia, una máquina llena de botones. El titular de la foto decía: UNA COMPUTADORA CON CORAZÓN. Y la leyenda, en caracteres más pequeños, informaba:

> **Horst Chlebus, oficinista de Dusseldorf, de 49 años, pudo reunirse con su madre, Elfriede, después de 35 años de separación. Madre e hijo fueron separados al finalizar la II Guerra Mundial, y ambos creían que el otro había muerto. Horst suministró a la computadora de su oficina todos los datos que poseía sobre su madre y recibió la grata sorpresa de saber que estaba viva, ya que junto a esta noticia la computadora le ofreció de inmediato su dirección actual.**

—No me gustaría esperar tanto —comentó Equis, devolviéndole el diario.

—Treinta años —comentó el hombre del bar, escupiendo entre los dientes amarillos—. Sólo a una madre puede esperársela tanto tiempo. (O a un caballo, pensó.) Es posible que a esta altura ya se encuentren cotejando sus diferencias.

Equis hizo un movimiento, para desprenderse de su imagen en el espejo, que lo miraba torvamente.

—¿Por qué no consulta a un detective? —le dijo el hombre, volviendo al tema—. En las películas, es lo que se hace en estos casos. En las novelas, también.

El bar estaba casi vacío porque era temprano. Pagó y se fue.

EL VIAJE, XXI: EL ENIGMA

En el sueño, había una pregunta que flotaba como un enigma, como aquellos acertijos que los reyes, enamorados de sus hijas, proponían a los pretendientes. Príncipes, caballeros degollados en el insensato afán de resolver la oscura adivinanza que conservaba a las hijas para los padres. En el sueño, Equis escuchaba la pregunta: «*¿Cuál es el mayor tributo, el homenaje que un hombre puede ofrecer a la mujer que ama?*»

Entró al comedor público y pagó uno de los almuerzos baratos, dos platos, postre y agua mineral. Como siempre, el lugar estaba lleno. Vio las paredes pintadas de verde, con algunas manchas de humedad. Chorizo nadando en aceite, y al costado, un huevo frito. En algunos casos, el pretendiente tenía derecho a dos respuestas. El hacha maldita no cercenaría la noble cabeza del aspirante a la princesa (amada oscuramente por el rey en noches en que equivoca el nombre de la reina o de la esclava) hasta la segunda vez. Techo blanco, con un neón clavado, tristemente, derramando su mísera luz. Los manteles eran de papel: se quitaban y se reponían con cada comensal. Había viejos que masticaban lentamente desde sus encías sin dientes, estudiantes sin dinero, prostitutas. «¿La ciudad de sus recuerdos o de sus sueños, la ciudad imaginada?», pensó Equis. ¿Ésa era la respuesta? En el sueño, oía la pregunta en medio de su confusión; experimentaba la opresión del enigma, un enigma que sentía pesado, ritual, y el hacha seguramente seccionaría su cabeza la próxima vez.

Había sólo un lugar vacío, al lado de una mujer pobre y madura, que comía en silencio, con lentitud, mirando fijamente el vaso que tenía delante.

Equis se acercó por el pasillo, portando su plato. La luz de neón era opresiva.

—¿Me permite? —le preguntó a la mujer, y corrió la silla.

Ella lo miró con sorpresa. La noche antes le habían dado una paliza, y tenía el rostro tumefacto. Uno de los ojos, hinchado, le lloraba, y el otro, deformado por el golpe, caía hacia abajo, derramábase sobre la mejilla. («¿Cuál es el mayor tributo, el homenaje...?» repetía mentalmente Equis.)

Se sentó. De inmediato, ella bajó los ojos, esas dos piezas que la paliza había desengarzado, muñeca rota. Masticaba con dificultad, porque las mandíbulas seguramente desequilibradas por un golpe, no encajaban bien. Renunciaba al pan, que parecía una presa demasiado dura para su estado. Pero sus movimientos eran delicados, sumisos, sus movimientos tenían suavidad, como si toda ella se empeñara en negar las huellas oscuras de sus mejillas y de su cuello. En las manos, blancas pero arrugadas, con las venas azules hinchadas, lucía unos anillos llamativos y baratos, piedras verdes de gran tamaño, vidrios transparentes. El orín del metal teñía de oscuro los dedos. Estaba llena de pulseras ordinarias que en sus flacos puños parecían los gastados collares de un perro perdido. Pero los movimientos de las manos reclamaban una cierta dignidad.

Equis vio un vaso vacío y le sirvió agua. No estaba seguro de que ella tuviera sed y el ojo izquierdo dejaba caer unas gotas, intermitentes, que resbalaban hasta el plato. Pero igual levantó la cabeza, vio el vaso lleno, bebió un sorbo. Uno solo. Qué curioso, pensó Equis. Un solo sorbo de agua. Por el escote, un escote exagerado pero que no descubría más que unos infelices pechos secos, descarnados, se veían los grandes hematomas azules, como prolongación de las ojeras. Una blusa antigua, ajada, llena de lentejuelas, o de agujeros donde antes habían estado. «Vienes, encendida / toda de luz y de color», memorizó Equis. Tenía un pantalón lila, de raso, ajustado, unos zapatos negros, muy altos y gastados, con los tacones torcidos, sobre los cuales sólo unos pies adiestrados podrían caminar.

El segundo plato era judías con patatas. Aunque había comenzado después, Equis la alcanzó, porque ella pinchaba las judías una a una, como distraída, o quizá porque con las mandíbulas torcidas, masticaba mal.

—No dejan entrar perros —comentó de pronto la mujer, sin mirarlo específicamente. Es decir: lo miró, pero como si no lo mirara—. En este lugar no dejan entrar perros —repitió.

Equis no creía que alguien dejara sobras para darles. Por lo que sabía del lugar, toda la gente que no tenía más remedio que comer allí, era de buen apetito.

—Ni gatos —murmuró Equis, en compensación.

—La comida de ayer estaba un poco fría —dijo la mujer—. Me hizo mal. ¿Y a usted?

Equis quiso agradecerle la gentileza de dirigirse a él.

—Ayer no vine —contestó—. Me quedé dormido. (El ojo de la mujer lagrimeaba pero ella lo ignoraba. La tumefacción de la frente, azulada, parecía un triste adorno que se hubiera colocado en el pelo.)

—Spaghettis con salsa —informó ella—. Pero un poco fríos. O quizá fue que yo llegué un poco tarde. El postre de hoy es flan.

—Me gustaría comer dos —dijo Equis, para seguir la conversación.

—No le darán dos —contestó ella, con rencor. Las pulseras hacían un poco de ruido. No mucho: apenas como una música lejana. Como unas latas en el descampado. Si hubiera querido fijar los ojos en él, no habría podido: estaban como desbordados, como salidos de madre, naufragados en medio de los golpes.

Equis se levantó y trajo los dos platitos con los flanes. La mujer no lo miró ir y venir. De lejos, las magulladuras eran tan perceptibles como de cerca, pero se veían menos detalles. Las hinchadas venas de la frente, por ejemplo, aparecían como una sola protuberancia. Pero cuando uno estaba de frente, formaban un pequeño mapa, con sus ríos y sus afluentes.

Puso el plato con el flan frente a ella. La superficie acaramelada temblaba flojamente. Equis asió la cuchara, vaciló antes de hundirla.

—Está bien frío —le dijo, para animarla.

Viejos reyes enamorados de sus hijas. Inventan enigmas de difícil solución. Pretendientes descabezados. En noches de delirio, confunden el nombre de la reina o de la esclava.

No parecía dispuesta a separarse de él, sin intentarlo. Por eso bajaron las escaleras juntos, aunque esa no fuera aparentemente una decisión, sino una especie de casualidad. De todos modos, no puso mucha fe en conseguirlo, fuera porque su confianza en sí misma era poca, fuera porque su olfato de mujer de la vida le había enseñado bastante.

—¿Vienes conmigo? —le propuso sin fingida pasión, sin entusiasmo, como si la propuesta no fuera en sí misma muy tentadora, como si la carrera ya hubiera comenzado y el jinete que partió después corriera sólo para cumplir el contrato—. Tengo una habitación —agregó como por cumplido.

El enigma, en el sueño, decía: «¿Cuál es el mayor tributo, el homenaje que un hombre puede ofrecer...?»

Equis hizo un gesto negativo con la cabeza.

Ella lo miró sólo con un poco de decepción.

—No te costará casi nada —agregó ella, sin entusiasmo.

Las nubes estaban bajas y quizá por eso todo era tan gris.

Equis repitió el gesto.

Entonces ella le rozó el brazo, apenas, como para que él la mirara. El ojo goteaba como un surtidor intermitente.

—Estoy en dificultades —declaró la mujer, al fin, hablando de manera entrecortada—. Sólo es necesario que nos vean subir... —estaba vencida, y no le importaba suplicar—. Hasta la habitación... —dejó la frase sacudirse en el aire como el escudo del herido.

Equis la acompañó sin hablar. Palomas grises, sucias, andaban adelante. Una renqueaba, con la pata derecha inválida. Sobrevolaban el suelo sin imaginación, sin perspectiva, lejano y no entrevisto el horizonte.

Al pie de la escalera, un hombre enfermo pedía limosna con un sucio papel de diario al costado. Enseñaba unas llagas sólo un poco más grandes que las de la mujer. Niños sucios, con costras en los pies jugaban alrededor, entre restos de colillas y cáscaras de naranja. Había un fuerte olor a orines, ropa húmeda y sopa de pescado.

Subieron. La escalera era larga y algunos trozos de madera faltaban. Al apoyar uno de los pies, Equis, sufrió un vértigo, su corazón saltó, aterrado: tuvo la sensación de haber dado un paso en el vacío. Confusamente recordó relatos de exiliados: fusilamientos simulados, capuchas sobre el precipicio. Pero se recuperó: sucia y maloliente, la escalera continuaba. Y él apoyaba un pie, luego el otro, cerciorándose bien de lo que hacía. A veces, le sucedía lo mismo al bajar: la sensación de que la escalera se interrumpía y de que el paso que ingenuamente había dado, lo precipitaba al vacío. Lo peor no era caer: era la certeza del paso en falso, la ruptura de la cadena de certidumbres montada sobre la hipótesis de una eternidad estable. «Moriremos, sin embargo», se dijo Equis.

Cuando llegaron, ella empujó la puerta.

Entraron. Equis vio una cama, un espejo desconchado, una toalla, una palangana, un pequeño lavabo con grifo antiguo, la foto enmarcada de un actor popular, una imagen del Crucificado, un jarrón con tiesas flores artificiales. Una ventana con la cortina echada, sucia y polvorienta. Un sofá con algunas prendas amontonadas. La radio. Un enorme aparato de radio antiguo, de caja oscura, ovalada, sobre una carpetita blanca, bordada a mano. Era el único adorno de la habitación y demostraba que la dueña le tenía especial afecto. Una pasión quizá no controlada por la radio. Como si fuera un perro, un pájaro o un solitario de barajas.

Comenzó a desvestirse sin que nadie se lo pidiera. Con desgano y sin simulacro alguno de alegría o de complacencia. «Viejos reyes —pensó Equis—, enamorados de sus hijas, proponen enigmas complicados, difíciles adivinanzas, a exaltados pretendientes que pronto serán degollados.» ¿Cuál era la respuesta? La exacta, la única posible, la que impidiera el sacrificio.

Tenía el cuerpo magullado, grandes varices viscosas, hematomas estampados como lacre. Pero había, en medio de todo, una oscura dignidad. Los huesos eran muy delgados, la carne muy flaca. Se echó en la cama, con la cabeza inclinada sobre el respaldo. Le pidió un cigarrillo con un gesto. Equis se lo tendió encendido. El pedido lo había aliviado, lo sacó de la muda pasividad en que estaba. Le devolvió el uso de la palabra y quizá de los músculos y tendones.

—Es bueno el cigarrillo —comentó la mujer, por decir algo.

Él le tendió la caja.

—No te la pedí. No la quiero —se rebeló ella. «A veces —pensó Equis—, lo mejor es no dar.» ¿Era ésa la respuesta? La consideró. «¿No dar?»

Se puso la caja en el bolsillo.

—¿Vas a quedarte vestido? —preguntó ella, por fin, inquieta, sublevada.

Él la miró firmemente a la cara. Después habló:

—Hace mucho tiempo que no tengo una erección —declaró, con voz neutra—. Y no me importa. No voy a hablar de eso ahora ni en ningún otro momento.

Algo en el rostro del hombre hizo que ella no pensara ni en reírse, ni en quejarse, ni en reclamar, ni siquiera en tomarlo demasiado en cuenta.

—Por si te importa, te diré que encuentro en la impotencia una clase de armonía.

No le importaba, la frase era oscura, pero la entendió. Incomprensiblemente, la entendió. Es más: se le ocurrió estar de acuerdo.

—Igual voy a desvestirme —declaró Equis—, porque no hay ninguna razón para que no lo haga y porque en este cuarto hace mucho calor.

Se quitó la ropa casi con esmero, para no arrugarla. No tenía mucha y era mejor cuidarla. Quedó desnudo, con el sexo fláccido entre las piernas, que no merecía ninguna observación de parte de nadie.

Se echó al lado de ella, encendió otro cigarrillo y le preguntó si le gustaban mucho los perros.

Bajó del cuarto con la sensación de que algo se había aclarado en su mente. No sabía bien por qué, pero le parecía estar más cerca de la resolución del sueño. Un sueño que se repetía dos o tres veces por semana, con la opresiva presencia del enigma sin respuesta precisa todavía, para el cual había tres o cuatro hipótesis, pero ninguna certeza de solución. «Viejos reyes —repitió Equis—, enamorados de sus hijas, proponen. Enigmas. Oscuros. A ingenuos pretendientes. Degollados.» La sensación de relativa claridad en su mente lo impulsó a caminar por la ciudad. Sin rumbo fijo, como quien merodea en las inmediaciones de un museo, sin encontrar la puerta, pero convencido de que el olor a polvo y a eternidad lo conducen a alguna parte. Así se viajaba en la antigüedad: con mapas imprecisos, llenos de mares misteriosos y animales fantásticos, costas advenedizas e ínsulas supuestas, pero al cabo, la carta del almirante al rey revelaba que en tierras apartadas, adonde los había conducido la tormenta, crecían árboles gigantes, plantas de la salud y vivían hombres de otro raza. Operando por símiles o por imaginación.

Palomas pardas le salían al paso.

El cartel, a la entrada del local, decía:

SENSACIONAL ESPECTÁCULO
TRES PASES CONTINUOS
PORNO-SEXY:
SENSACIONALES TRAVESTIES
¿HOMBRES O MUJERES?
VÉALOS Y DECIDA USTED
MISMO
(Franja verde)

Equis miró las fotos distraídamente. Eran fotos en blanco y negro, sacadas con flash, por lo cual las figuras y el fondo aparecían muy aplanados. Pero el papel era brillante y el reflejo de las luces de la calle les daba un extraño resplandor. Brillaban las plumas de adorno en las cabezas de hombres y mujeres; las medias de nylon con dibujos de rombos en las piernas de hombres y mujeres parecían flamear. En los escotes había piezas de vidrio fulgurantes y numerosos anillos en las manos, como mariposas.

La escalera que conducía al local parecía muy sórdida. Equis volvió a mirar las fotos. Algo le atraía, hasta que repentinamente reconoció un rostro y se apresuró a comprar la entrada. Tenía los ojos nublados y le transpiraban las manos. No le importó estar sin cigarrillos. Cerca de la puerta había un hombre pobremente vestido que con ademanes obscenos y voz ronca ofrecía postales pornográficas, preservativos, frascos de perfume, lubricantes, desnudos eróticos, almanaques deportivos y bolígrafos con lindas muchachas sin ropas. Equis casi lo atropelló al pasar. Cuál es. El tributo mayor. El homenaje. Que un hombre. Puede hacer. A la mujer. Que ama.

Las luces estaban apagadas, en la platea, porque el espectáculo ya había comenzado. No había acomodador, cosa que agradeció porque le permitía quedarse de pie, a un costado, detrás de una columna. Era un local más bien pequeño y sin ventilación, rectangular, como una caja, y desde las filas de atrás debía verse muy mal. El aire era nauseabundo. La sala estaba repleta de hombres en mangas de camisa, sudorosos, procaces, que olían a alcohol y a aceite rancio. La primera hilera de butacas estaba a pocos metros del escenario, seguramente para ahorrar espacio y para permitir una suerte de intimidad entre el público y los actores que sirviera de excitante a unos y a otros. Arrellanados en sus asientos, con esa falsa seguridad que les daba el ser muchos y anónimos, haber pagado la entrada, estar abajo y no arriba, tener el abdomen con grasa, el aliento pesado, el chiste fácil y un músculo reflejo entre las piernas, los espectadores parecían haber retrocedido a algún estadio de impunidad infantil, en el cual se sentían dominadores, desinhibidos, irresponsables.

El anonimato y el sentimiento de formar parte de un mismo grupo (no había casi mujeres en la sala) estimulaba una conducta provocativa, obscena, falsamente ingeniosa. Se oían chistes, burlas, réplicas, bolsas llenas de aire que estallaban, largos eructos, silbidos, aplausos y pataleos.

Cuando entró, el espectáculo estaba por terminar.

Pero alcanzó a ver, en un número de conjunto a Lucía, vestida de varón, con chistera (sobre sus cortos cabellos rubios), corbata y pantalones muy anchos, que flotaban, imitando a Charlotte Rampling en *Portero de noche*, quien imitaba a Helmut Berger en *La caída de los Dioses*, quien imitaba a Marlene Dietrich en *El ángel azul*. Siendo, entonces, Marlene Dietrich, el origen y el desenlace de toda simulación. Marlene cantando Lili Marlen.

bei der Kaserne
vor dem grossen Tor
steht eine Laterne
und steht sie noch davor
da vollen wir uns wiedersehn
bei der Laterne
wolln wir stehn
wie einst Lili Marlen
wie einst Lili Marlen
und sollte mir ein Leid
geschehen
wer wird bei der Laterne
stehen
mit dir Lili Marlen
mit dir Lili Marlen

Marlene (de frac y galera, con larga boquilla oscura) entrando una noche en Beverly Hills, del brazo de Dolores del Río. Asistían a una boda. Marlene con su pecho casi liso bajo la camisa almidonada y Dolores con los largos cabellos sueltos, sobre los hombros, una rosa roja en el pecho. Marlene con su voz ronca acariciando las palabras hirientes con que se burló del novio. Marlene y Dolores bebiendo champagne (con un pétalo sumergido). Marlene con atuendo masculino seduciendo a hombres y mujeres. Dolores que reía enseñando su espléndida dentadura blanca.

Y Lucía imitaba a Marlene y alguien (un hombre disfrazado de mujer, o una mujer, un travesti, uno que había cambiado sus señas de identidad para asumir la de sus fantasías, alguien que se había decidido a ser quien quería ser y no quien estaba determinado a ser) era Dolores del Río, Dolores del Río hace muchos años, con su aspecto de brava mexicana o de chicana, con su figura de matrona acostumbrada a los toros y a los tiros y no a las sonrisas de una noche de verano, despertando los impulsos posesivos de los varones en un ruedo lleno de polvo y arena donde le hubiera gustado escribir a Hemingway, eyacular a Henry Miller o viceversa, y las dos (o ella y él, como se prefiera) aparecían en escena entre los chiflidos del público exigiendo que Marlene desflorara a Dolores o que Dolores poseyera a Marlene mientras un fonógrafo viejo pasaba los compases de *Lola-Lola* y nadie de los aquí presentes recordará a Josef von Sternberg (decía, increíblemente, Lucía, por el micrófono) pero él llevó a Marlene a los Estados Unidos para que triunfara salvándola de las hogueras nazis y de pronto se quitaba la chaqueta del frac, con movimientos rítmicos y acompasados, la lanzaba lejos (hasta Dolores del Río que estaba en segundo plano), el público por un momento dejaba de gritar y de chiflar, ella, con el gesto solemne y autoritario de sus delicados brazos enfundados en las mangas de la camisa almidonada había conseguido hacerlos callar por un instante, como el encantador de culebras («entonces —pensó Equis— hasta los brutos son sensibles a la ceremonia de sus manos»), ahora, lentamente, se quitaba el cuello, dejaba que los tiernos y blancos dedos de sus dos manos coincidieran en la operación de desprenderlo, lo enseñaba al público (ahora volvían a gritar, a chiflar, adelantándose a lo que vendría), desprendía los botones de la camisa (que simulaban perlas), uno a uno los iba sacando de sus ojales, varios se ofrecían a ayudarla, pero Dolores, brava chicana, defendía el territorio, Dolores no iba a permitirlo, el precio es por ver y no por tocar, queridito mío, qué te has creído tú, hijo o hija de tu madre, gritaba un aficionado, que siga, que siga, y Lucía pasaba a los gemelos, con suma delicadeza los desprendía, gemelos con una flor de lis dibujada, Dolores los recogía, la ofrenda había sido para ella y luego los lanzaba al público, bendecidos por dos pares de manos, las suyas y las de Marlene, la ceremonia continuaba, ahora Marlene comenzaba a abrir la bragueta del pantalón, el cierre de la pretina primero, con ambas manos, retardando los movimientos, soltándolo de golpe, luego cada uno de los botones, botones que no se veían pero indudablemente estaban y de la boca de Dolores salía como una espuma, Dolores sacaba la lengua y la hacía pasar por sus anchos labios violentamente pintados de púrpura, alguien del público lanzaba un gemido, otros simulaban desmayos, con la bragueta abierta Marlene daba una larga pitada a su boquilla oscura, ahora otra, más larga todavía, retenía un instante el humo en la garganta, lo hacía ascender hasta la nariz, allí le daba forma de óvalos y lo dejaba salir, lo expulsaba en círculos movedizos y concéntricos que se perdían en la sala, le entregaba la boquilla a Dolores que se ponía delante y atrapaba el último círculo de humo justo justo al salir de su boca, los labios se tocaban, el público exigía más, Marlene giraba, quedaba de espaldas, los pantalones apenas deslizados de la cintura para abajo, un poco flojos porque se había desprendido la bragueta, los bordes de la camisa hacia afuera, los puños abiertos, se acariciaba los hombros, de espaldas sus cabellos cortos y rubios no alcanzaban a cubrir la delicada nuca por entero, pasaba las manos por su cuello, en el fonógrafo Lola-Lola sonaba, luces rojas y blancas muy veloces por el escenario, comenzaba a mover las caderas, las pequeñas, dulces caderas rubias, los primeros movimientos eran lentos, el pantalón iba descendiendo, entonces violentamente se despojaba de la camisa y la tiraba lejos, seguía de espaldas, ahora el movimiento de las caderas era más veloz, igual que la sucesión de luces blancas azules rojas y amarillas, el pantalón bajaba por completo, alzaba las piernas, se lo quitaba, lo arrojaba hacia el fondo del escenario, se daba vuelta, quedaba de frente, completamente desnuda, los senos pequeños, redondos, los pezones claros, el pubis casi rubio recortado, la luz blanca la recorría deslizándose sobre su cuerpo desde el cuello a la cintura, después las piernas, ahora la gente volvía a estar en silencio, ella se contorsionaba suavemente, luz roja sobre los muslos, movía los brazos, luz blanca sobre el pubis, abría las piernas, luz azul sobre la cara, clavada en el suelo como una tijera, Dolores se acercaba, ardiente y sigilosa, la boca llena de saliva, luces oscuras sobre la intromisión de Dolores, brava chicana, ¿quién pensó que era Marlene quien iba a montarte?, Dolores avanzaba, reptando como un animal húmedo y obsceno, luces blancas sobre las piernas de Marlene inundadas por los brazos oscuros de Dolores, la boca lanza su lengua, víbora veloz y agitada, la lengua (pintada de rojo, para que sea visible aún a la distancia) comienza su lenta, minuciosa succión, raspa el costado de las piernas, escala la rodilla, se precipita en los muslos, a veces da unos pasos hacia atrás (seguramente alguna zona no ha sido suficientemente regada), Marlene voltea la cabeza de derecha a izquierda, de izquierda a derecha, ahora el contorno del pubis, Dolores deja oír una larga y vigorosa chupada que ahueca el aire, el ruido es repetido por parte del público, luz azul sobre los vellos del pubis, bosque dorado, la lengua da unos picotazos cortos y agudos, entra y sale de su estuche lanzando saliva, pica y regresa, avanza y retrocede, muerde, la lengua araña, a veces se yergue con algunos pelos en las fauces como el león que devora a su presa, los enseña al público, vellos casi dorados, introduce la punta en la oquedad del pubis, afilando la extremidad se hunde, da vueltas, gira, las luces blancas iluminan el círculo donde la lengua penetra y profundiza, alguien del público ruge, otro brama, una huella húmeda se agranda en el suelo, Marlene se da vuelta, queda de espaldas, Dolores introduce su mano entre las piernas.

Equis buscó a tientas el camerino. Cuando lo encontró, empujó la puerta y entró. Ahora necesitaba desesperadamente un cigarrillo. Era una habitación estrecha y con poca luz: sólo una bujía amarillenta sobre el empapelado verde con flores. El papel estaba rajado en varias partes. Había un espejo largo y con manchas de moscas apoyado en un cajón de madera. De la pared colgaba un perchero con numerosas prendas. Un cenicero de vidrio lleno de colillas. Una butaca torcida, con una pata más corta, repleta de adornos de papel, guirnaldas, y un florero de vidrio. En el cuartito había tres o cuatro mujeres, y Equis reconoció a Lucía, con el rostro apenas maquillado (una sombra azul bajo los ojos, un falso bigote rubio, una pelusa sobre el delicado labio superior). Tenía puesto un pantalón ajustado y se volvió hacia él, sorprendida. Disimuló su asombro pero una ráfaga de brillo acentuó la mirada azul de sus ojos maquillados. Tenía la galera puesta. Guantes blancos. Había un cigarrillo encendido en el cenicero repleto.

Ella lo miró con fijeza por un instante.

Luego dijo, firmemente: —Jamás. Jamás.

Equis quedó de pie, junto a la puerta, con la penosa sensación de que las mujeres lo miraban sin curiosidad, sin sorpresa, como si fuera un objeto. Una mesa o un ropero junto a la puerta, obstaculizando el paso.

Entonces se acercó a Lucía (que lo miraba fijamente, murmurando apenas, casi sin sonido: —Jamás. Jamás.) y muy delicadamente tocó sus cabellos rubios, cortos, que no cubrían el lóbulo.

Vestida de varón, con la mirada azul muy brillante, acentuada por la línea oscura que dibujaba los ojos, las mejillas empolvadas y dos discretos pendientes en las orejas, era un hermoso efebo el que miraba a Equis y se sintió subyugado por la ambigüedad. Descubría y se desarrollaban para él, en todo su esplendor, dos mundos simultáneos, dos llamadas distintas, dos mensajes, dos indumentarias, dos percepciones, dos discursos, pero indisolublemente ligados, de modo que el predominio de uno hubiera provocado la extinción de los dos. Más aún: era consciente de que la belleza de uno aumentaba la del otro, fuera el que fuera. Como si dos pares de ojos lo miraran, cuatro labios murmuraran, dos magníficas cabezas lo envolvieran con su ritmo. La revelación era casi insoportable. Impregnaba todas las cosas. Pero delante de ella, sólo cabía ser humilde.

—¿Sabes? —le dijo, casi borracho por la comprobación, o místico, o enternecido—. Tengo un enigma en los sueños. Hay un sueño que se repite, opresivo, recurrente. En el sueño, un viejo rey, enamorado de su hija (y su hija eres tú, apareces en el sueño como la hija deseada por el rey que no se atreve a llamarla por su nombre, pero equivoca el de sus esposas y concubinas) propone una adivinanza a los pretendientes. Yo tengo que resolver el acertijo si quiero ser digno de la hija del rey. El enigma dice: ¿Cuál es el tributo mayor, el homenaje que un hombre puede hacer a la mujer que ama?

¡Qué proposición tan difícil! En el sueño, no consigo saber la respuesta. Estoy confundido, vacilo, atolondrado y torpe. Sólo me queda una oportunidad y no alcanzo a acertar la solución. He pensado varias contestaciones. Se me ha ocurrido que quizá el enigma encerrara un equívoco, tendiera una trampa, y la respuesta fuera: No hacer nada. Pero estaba equivocado y ahora lo sé. Ahora he encontrado la respuesta. Viéndote, la he sabido: tú has sido la comprobación que esperaba. Esta noche podré tener el sueño, y en él, inscribir la solución. Es curioso: la respuesta estaba en mí desde hace tiempo, pero en el sueño no me animaba a pronunciarla. Porque seguramente es a la princesa a quien debo dársela primero, puesto que ella ha inspirado el enigma. De modo que si tú recibes la contestación adecuada, yo me habré liberado de la opresión y podré pronunciarla en el sueño. La respuesta es: su virilidad.

Viejos reyes, enamorados de sus hijas. Inventan enigmas de difícil solución. Pretendientes enamorados. Sin saber la respuesta. Mueren degollados. Viejos reyes. Enamorados de sus hijas. En noches de delirio. Confunden el nombre de la reina o de la esclava. «¿Cuál es el tributo mayor, el homenaje que un hombre puede hacer a la mujer que ama?», preguntaba el rey, severamente. En el sueño es de noche y están en un campo abierto, sin estrellas y sin luna, sin árboles ni agua, sin pájaros ni peces. Sólo un toldo para el rey, en el campamento lejano. En el sueño, Equis intenta mirar a través de las tinieblas, descubrir entre las sombras a la deseada hija del rey. Ser digno de ella es conocer la solución. El viejo se pasea altaneramente por el campo, lo mira altivo, convencido de que nunca encontrará la solución. Entonces Equis se yergue, en el sueño sus ojos brillan triunfadores, se aproxima, sigiloso, al viejo rey y le grita a la cara, le anuncia, lentamente: «El tributo mayor, el homenaje que un hombre puede hacer a la mujer que ama, es su virilidad».

Se oyen truenos, relámpagos alados cruzan el cielo,

una pesada piedra cae y abre el suelo, animales extraños huyen por los cerros, « ¡Su virilidad! », grita Equis, y el rey, súbitamente disminuido, el rey, como un caballito de juguete, el rey, como un muñequito de pasta, el reyecito de chocolate cae de bruces, vencido, el reyecito se hunde en el barro, el reyecito, derrotado, desaparece. Gime antes de morir.

Faltan enero, noviembre, diciembre y,
por lo menos,
dos ríos del Paraíso.

ÍNDICE

Equis: El viaje, I 9
Equis: El viaje, II 10
El tapiz de la creación, I 20
Equis III: El hombre es el pasado de la mujer 22
El viaje, IV: Historia de Equis 27
El viaje, V: Historia de Equis 33
El viaje, VI: Algunos hombres y mujeres que Equis ha encontrado en sus peregrinaciones 43
El viaje, VII: Equis y los sueños 46
El viaje, VIII: La nave de los locos 49
El viaje, IX: La fábrica de cemento 55
El viaje, X: La vida en las ciudades 64
El viaje, XI: Las costumbres de Equis . . . 69
El viaje, XII: El ángel caído 74
El viaje, XIII: La isla 85
El viaje, XIV: Pueblo de Dios 97
El viaje, XV: El paraíso perdido 103
XVI: Morris, un viaje al ombligo del mundo . 115
XVII: De las cosas que le ocurrieron a Morris en Albión 125
El viaje, XVIII: Un caballero del Santo Grial 133
EVA 151
El viaje, XIX: Londres 163
El viaje, XX: Una nave blanca 180
El viaje, XXI: El enigma 183